MARIE-SOL ST-ONG

QUAND L'ÉVEREST
NOUS TOMBE SUR LA TÊTE

Une histoire de courage et d'amour

à Françoise,

Marie-Sol St-Onge

Collection
Expérience
de Vie

PERFORMANCE Édition

CP du Tremblay, C.P. 99066
Longueuil (Québec) J4N 0A5
450 445-2974

info@performance-edition.com
www.performance-edition.com

Distribution pour le Canada : Prologue Inc.
Pour l'Europe : DG Diffusion
Pour la Suisse : Transat, S.A.
Pour l'Europe en ligne seulement : www.libreentreprise.com

© 2014 Performance Édition
ISBN : 978-2-923746-70-8
EPDF 978-2-923746-96-8
EPUB 978-2-923746-97-5

Révision : Françoise Blanchard
Couverture et mise en page : Pierre Champagne, infographiste
Photo de la couverture : Patricia St-Cyr, photographe www.photonaive.com
Photo de Marie-Soleil Michon : Julie Perreault, photographe
www.julieperreaultphotographe.com
Tableau de la couverture : Marie-Sol St-Onge, artiste peintre www.lesillusarts.com

Dépôt légal 1er trimestre 2014
Dépôt légal Bibliothèque et Archives nationales du Québec
Dépôt légal Bibliothèque nationale du Canada
Dépôt légal Bibliothèque nationale de France

Nous reconnaissons l'aide financière du gouvernement du Canada par l'entremise du Fonds du livre du Canada (FLC) pour nos activités d'édition.

Nous remercions la Société de développement des entreprises actuelles du Québec (SODEC) pour son appui à notre programme de publication.

Limite de responsabilité
Les auteurs et l'éditeur ne revendiquent ni ne garantissent l'exactitude, le caractère applicable et approprié ou l'exhaustivité du contenu de ce programme. Ils déclinent toute responsabilité, expresse ou implicite, quelle qu'elle soit.

 Imprimé au Canada

À Louis-Matis et Ludovic.

Nous vous aimons très fort et

nous sommes très fiers de vous.

À la mémoire d'Alexandra Pearson.

Quand l'Éverest nous tombe sur la tête

Dimension : 14'' x 18'' (35,56 cm x 45,72 cm)
Médium : acrylique
Artiste peintre : Marie-Sol St-Onge

TABLE DES MATIÈRES

⪰ PRÉFACE ⪯

J'ai connu Marie-Sol St-Onge en 1988, au début de nos études secondaires au Collège St-Maurice de St-Hyacinthe. Déjà, elle se démarquait du lot : fille singulière à l'esprit libre, elle possédait un talent indéniable pour les arts. Son coup de crayon était remarquable, unique, reconnaissable entre mille.

Lorsqu'elle m'a demandé de signer la préface de ce livre, j'ai accepté d'emblée, car l'histoire de Marie-Sol et de son amoureux, Alin Robert, m'a touchée profondément. Quand j'ai su, en mars 2012, qu'elle se battait pour sa vie à l'hôpital, j'ai allumé des bougies et pensé à elle chaque jour. Quel destin cruel pour une artiste peintre que celui de subir l'amputation de ses mains? L'histoire de sa renaissance et de sa reconstruction font d'elle une héroïne des temps modernes.

Le chemin parcouru depuis son hospitalisation est inouï. La force de ce couple est absolument remarquable : Alin et Marie-Sol prouvent que l'amour peut déplacer des montagnes. Inspirante à plusieurs égards, la complicité qui les unit est un baume en cette ère de cynisme. Je retiens leur vision optimiste de la vie : ils ont fait le choix du bonheur, malgré les épreuves.

Ils n'ont jamais baissé les bras dans les moments les plus sombres, même quand les pronostics n'étaient pas bons. Ils ont puisé dans des forces insoupçonnées et j'ai une admiration sans bornes pour leur persévérance. Car il faut beaucoup de temps pour guérir complètement d'une pareille mésaventure.

En lisant *Quand l'Éverest nous tombe sur la tête*, je me suis dit qu'il ne faut jamais hésiter à consulter lorsqu'on sent que la santé dérape. Et aussi qu'il faut croire : tant qu'il y a de la vie, il y a de l'espoir! Désormais, c'est à Marie-Sol que je pense pour m'encourager lorsque je fais face à des difficultés.

Comme nous tous, Marie-Sol doit avoir des jours gris durant lesquels elle ressent la nostalgie de certaines choses qu'elle pouvait faire auparavant. Elle a dû faire le deuil du corps qu'elle connaissait avant son tragique parcours et accepter sa nouvelle réalité, une tâche titanesque. Tout cela en tenant compte des peurs qu'un tel défi suscite, des doutes, l'inconnu... Mais il faut suivre Marie-Sol et Alin sur les réseaux sociaux pour comprendre que leur humour fantastique est directement lié à leur capacité de résilience.

La suite est prometteuse : l'artiste a recommencé à peindre et dessiner. De nouvelles œuvres naissent. Des conférences ont été mises sur pied. Leurs garçons grandissent en ayant la chance d'avoir leur mère auprès d'eux. La maison s'est transformée, la vie a changé, l'amour s'est fortifié.

Je n'ai pas revu Marie-Sol depuis vingt ans; mais si j'ai pu contribuer un tant soit peu à faire connaître son histoire aux médias, tant mieux. À vous maintenant de découvrir cet appétit de vivre hors du commun... Toute une leçon de vie!

Bonne lecture!

Marie-Soleil Michon
Animatrice

⮨ PROLOGUE ⮩

Au moment de rédiger ces lignes, nous avons encore mieux compris l'importance de vivre plus tranquillement, le pouvoir d'un amour véritable et le rôle de la pensée positive. Nous n'avons aucune prétention, ni l'intention de dicter un quelconque enseignement. Nous voulons simplement faire l'exercice d'écrire nos idées et les pensées qui nous ont habités durant cette terrible épreuve qui s'est infiltrée dans notre vie de façon insidieuse et que nous avons dû affronter. Nous désirons surtout exprimer notre vision de la vie et nos valeurs.

Nous avons subi le choc d'une soudaine maladie grave; nous avons traversé de nombreux tourments pour terminer vainqueurs de cette sournoise bactérie. La tempête étant maintenant écartée, nous tentons de voguer sereinement à travers cette houleuse aventure qu'est la vie. Ce que nous vivons nous oblige à comprendre l'importance de s'agripper au présent et, par le fait même, de savourer la vie, malgré toutes ses imperfections.

Nous avons eu l'idée de nommer ce livre *Quand l'Éverest nous tombe sur la tête* afin de bien représenter le sentiment d'écrasement que nous avons ressenti sous le poids d'épreuves totalement inattendues. De plus, l'Éverest étant la plus haute montagne du monde, nous trouvions l'image appropriée puisque le fardeau avec lequel nous avons dû composer de façon brusque n'aurait pu être plus grand pour une artiste peintre et pour des gens aussi actifs que nous. Heureusement, l'amour déplace les montagnes!

« Prendre le temps de vivre.

La vie n'est pas une course,

car si c'est le cas, nous ne voulons pas la gagner,

parce qu'à la fin, le prix

est vraiment dérisoire.

C'est la mort... »

Alin Robert

⤜ LE DÉBUT D'UNE FIN ⤛

Je reviens de la ville de St-Bruno-de-Montarville où j'ai livré une première partie de nos produits décoratifs dédiés au catalogue de notre plus gros client. J'y suis allé seul cette fois-ci, car Marie-Sol est grippée et elle se plaint de maux de ventre. Il n'est pas nécessaire de lui faire subir ce long trajet. Elle peut se reposer, car une grosse semaine de travail nous attend. Nous sommes d'ailleurs un peu en retard sur notre échéancier. En conduisant, j'ai suffisamment de temps pour réfléchir à mon horaire. Marie-Sol va pouvoir étirer sa période de repos parce que je dois faire de la coupe de bois. Je pourrai l'aider à la peinture en appliquant les couches de fond.

Finalement, je crois bien que la semaine de relâche de nos enfants va tomber à l'eau, non seulement à cause du surplus de travail, mais aussi parce que Sol semble plutôt subir une gastro-entérite. C'était sûrement la raison de son mal de ventre, car à mon retour, elle avait déjà commencé à vomir. Nous nous croisons les doigts pour que le virus nous épargne. Pendant ce temps, je scie des décors amovibles et je m'occupe de nos garçons.

J'aide Sol du mieux que je le peux et je nettoie les effets de ce malencontreux virus. Trop faible pour se rendre chaque fois au cabinet d'aisance, elle vomit dans un seau à côté de son lit. J'ai l'impression qu'elle vomit souvent et de grandes quantités. Je m'assure de tout nettoyer et désinfecter afin que nous ne soyons pas tous contaminés.

Le virus n'est vraiment pas commode; une gastro, ce n'est jamais amusant, mais celle-là semble assez majeure. Elle vomit beaucoup et cette indisposition n'arrête pas de la journée. Nous avons cessé de compter, car ces nausées reviennent plusieurs fois par heure. Cette nuit, je dormirai avec les garçons parce que vraiment, ça persiste. Dormir est un bien grand mot. Sol a toujours fait beaucoup de bruit lorsqu'elle régurgite et, cette fois-ci, est loin de faire exception!

Au matin, le calme est au rendez-vous. Ma chérie a fini par s'endormir et elle dort même une bonne partie de l'avant-midi. J'en profite pour sortir dehors et amuser nos deux garçons. Ça me change les idées en plus de prendre l'air frais, question de ne pas attraper cette vacherie qui l'affecte tant. De retour à la maison, je constate qu'elle ne va pas mieux. Les vomissements ont cessé, mais c'est le côté entérite de la gastro qui vient de se manifester. Je contacte notre cliente pour l'informer que Marie-Sol est malade et que nous ne pourrons pas tout livrer à temps.

Tout au long de la journée, je fais la navette entre l'atelier et la salle de bain. Je n'arrive pas à me concentrer sur le travail à faire, car sa situation ne s'améliore pas. Elle a recommencé à vomir... Vraiment, c'est la pire gastro! Notre chambre est une zone sinistrée. C'est difficile de la voir ainsi. Je retiens mes propres nausées; il ne faut tout de même pas que je tombe malade à mon tour!

Durant une bonne partie de la nuit, j'entends mon amoureuse être malade. Je me sens tellement impuissant face à son désarroi. Par miracle, les vomissements et les diarrhées ont enfin cessé au cours de la journée suivante. Mais voilà que se pointe une grippe latente qui s'est manifestée au cours du week-end précédent. Ça ressemblait à ce même fichu virus que j'avais eu la semaine précédente et un de mes deux enfants avait eu avant moi. La toux et l'écoulement nasal venaient de recommencer plus intensivement. Il fallait bien s'attendre, après s'être autant épuisée avec la gastro, qu'il était à peu près certain que le vilain virus allait frapper son système immunitaire déjà affaibli.

Durant la nuit, Sol continue de se sentir faible et nauséeuse et fait même un peu de fièvre. Au moins, il me semble qu'elle passe enfin une bonne nuit. Le lendemain, aucun symptôme de gastro en vue, si bien qu'en après-midi, elle nous rejoint au salon. Elle recommence même à boire un peu d'eau. Elle est très faible et, malgré tout, elle arrive à manger un morceau de biscuit soda et un peu de compote de pomme. Voilà enfin un bon signe : sa santé prend du mieux. Quand l'appétit va, tout va!

Nous nous sommes réjouis trop vite : les vomissements recommencent! Oh! non, ça n'a plus aucun sens, elle n'a plus de force. Après avoir expulsé le peu de nourriture qu'elle avait absorbée, elle régurgite un liquide vert. Un vert très intense, presque fluorescent. Je suis tellement inquiet que je décide de me rendre sans plus attendre à la pharmacie. Après consultation, le pharmacien me dit qu'il arrive que la bile soit de cette couleur. Il me conseille de lui donner un médicament contre les nausées pour que cesse la régurgitation. C'est peut-être les haut-le-coeur et les muscles trop entraînés des derniers jours qui la font dégobiller.

De retour à la maison, je lui donne le médicament. Aucun effet. Les vomissements continuent. Et cette couleur... Sol se plaint du fort goût que la bile laisse dans sa gorge. Je n'aime vraiment pas ce qui se passe.

Je lui dis que nous devons aller à l'hôpital, mais elle ne veut pas aller vomir à l'urgence et elle a peur d'être confinée aux toilettes durant les longues heures d'attente. Il est fort probable que si nous nous présentons à l'hôpital pour une gastro-entérite, que le personnel nous retourne rapidement à la maison. Je téléphone quand même à mes parents pour m'assurer qu'ils peuvent garder les enfants si nous décidons de nous rendre à l'urgence.

Ça fait déjà quatre longues journées que Sol est anéantie par ce que nous croyons être une vilaine gastro-entérite. Cette condition ne peut pas faire autrement que de cesser aujourd'hui même. Nous en venons à la conclusion que si elle ne va pas mieux le lendemain, qu'alors, on se rendrait à l'urgence.

Soulagement total, nous ne sommes pas obligés d'y aller. Sol a enfin cessé de vomir en soirée. Elle est très faible et épuisée. Elle garde les quelques gorgées d'eau qu'elle a bues. C'est une bonne nouvelle. Demain, enfin, elle ira mieux. Les enfants et moi avons été rongés d'inquiétude durant les derniers jours, mais les choses vont enfin reprendre leur cours normal, du moins, c'est ce que nous espérons.

Cette nuit, je peux dormir dans notre lit. Sol dort déjà lorsque je vais me coucher. En pleine nuit, j'ai vaguement conscience qu'elle se lève et me dit qu'elle va dormir dans le salon. La fatigue accumulée et la baisse de stress me font me rendormir rapidement.

Très tôt le matin, Ludovic, l'aîné de nos deux fils, vient me réveiller : « Papa, maman veut aller à l'hôpital... ses lèvres sont toutes bleues. »

L'ASCENSION VERS NOTRE BONHEUR

Un an auparavant...

Depuis le début de l'année, notre vie était exaltante. Nous avions pris la décision de démarrer notre propre entreprise de peinture artistique, *Les Illusarts*. Le projet était dans l'air depuis plusieurs années avec une multitude d'idées et de concepts pour l'entreprise d'où son nom : illusion, illustration, bref, les arts sous plusieurs facettes. Marie-Sol y travaillait déjà en complétant des contrats à temps perdu, les soirs, les weekends et lors de congés.

Ce rêve mijotait avant même notre déménagement à Trois-Rivières. C'était d'ailleurs l'une des raisons pour lesquelles nous avions quitté Montréal. Après dix années de belle vie dans la métropole, nous voulions installer notre petite famille dans une maison bien à nous. Le temps était opportun, car Louis-Matis, notre benjamin, n'était encore qu'un bébé d'à peine six mois et Ludovic irait bientôt à l'école. C'était le moment idéal pour trouver une garderie et faire le choix d'un établissement scolaire.

Au cours des cinq premières années dans notre nouvelle ville, nous avions tous les deux trouvé un emploi pour ainsi stabiliser le navire et assumer les frais et les dépenses liés à une première maison et à une jeune famille. Après avoir placé tous les pions sur notre échiquier financier et attendu que les enfants soient un peu plus grands, le bon moment était arrivé pour débuter sur le chemin de notre autonomie et de notre liberté, sans dépendre de quiconque.

La perspective de devenir nos propres patrons était très séduisante. Notre but n'était pas de gérer des employés, mais plutôt de ne plus être dirigés par des patrons. Le principe d'être un patron était très loin de notre mentalité. Nous voulions simplement travailler de façon cordiale avec des gens sympathiques, compétents, passionnés et éloigner le négatif de notre environnement de travail le plus possible.

Très autonomes, nous voulions également pouvoir suivre nos intuitions et déterminer nos horaires. Notre objectif ultime était de non seulement vivre de notre passion, mais aussi de donner le meilleur de nous-mêmes à nos enfants. L'importance d'aimer son travail, l'utilisation de ses talents, le sentiment d'accomplissement et la persévérance sont de merveilleuses valeurs à transmettre à nos deux rejetons.

Le travail à la maison offrait donc plusieurs avantages et il nous permettrait d'accorder encore plus de temps de qualité à nos fils : prendre un moment le matin pour les conduire à l'école à pied, être présents quand ils sont malades, être témoins de leurs succès, ainsi que de les épauler lors de leurs échecs. Être maître de son horaire, c'est aussi prendre le temps de se lever un peu plus tard, d'aller marcher à l'extérieur, de faire une randonnée à bicyclette ou simplement de flâner et de savourer chaque seconde de notre existence.

Voilà en quoi consistait notre vie de rêve! Le temps n'est-il pas notre bien le plus précieux? Curieusement, l'argent ne peut en acheter.

Sans le savoir, ce sont ces décisions mêmes qui deviendront éventuellement les fondations solides de notre reconstruction.

Mars 2011

Nous sommes donc au mois de mars, période durant laquelle nous avons créé un tout nouveau concept de décors amovibles. Ce projet permettrait non seulement de demander une subvention, mais aussi de concevoir un produit qui se vendrait en magasin.

Pour ma part, j'avais décidé de changer de carrière, ayant mis un terme à un parcours d'une quinzaine d'années dans la vente. Je n'étais plus enflammé par mon travail, voire même plus heureux du tout dans ce qui nécessitait trop d'heures au sein d'une si courte vie. Être malheureux quarante heures par semaine me donnait l'impression de gâcher mon précieux temps.

Résolu à devenir maître de mon destin, je me suis trouvé un travail à temps partiel en tant qu'éducateur et entraîneur dans des écoles primaires du quartier. Ancien joueur de volleyball, j'ai toujours été passionné par les sports et les activités physiques. Grâce à mon côté boute-en-train et motivateur, j'ai tout de suite été adopté par les enfants. C'était un travail qui me convenait parfaitement et qui me permettait d'utiliser le reste de mon temps pour notre entreprise, *Les Illusarts*.

De son côté, Marie-Sol travaillait dans le domaine du lettrage de véhicules et elle a profité de la diminution des contrats à son travail pour faire le grand saut. En devenant prestataire de l'assurance-emploi, elle pouvait bénéficier ainsi d'une subvention qui incluait un cours de démarrage d'entreprise avec crédits universitaires.

Les enseignements étaient très variés et ils offraient plusieurs facettes du rôle que doit jouer un entrepreneur : comptabilité, marketing, gestion du temps et autres. Cette formation complète représentait un retour à l'école donc, de nombreuses heures de travaux!

L'obtention de cette subvention était primordiale pour notre santé financière, mais surtout elle était le cœur du projet. Si l'entreprise pour laquelle Marie-Sol travaillait décidait de la rappeler pour un travail à temps complet, elle aurait été forcée d'y retourner selon les obligations d'un chômeur. Démarrer une entreprise exigeait non seulement du financement, mais par-dessus tout, du temps.

C'était justement la raison qui nous stimulait à travailler à l'élaboration d'un nouveau concept, question d'augmenter nos chances de réussite pour l'obtention de ladite subvention. Marie-Sol devait présenter un plan complet des produits et services de notre entreprise à un comité formé par des gens de l'organisme gouvernemental *Innovation et développement écomique de Trois-Rivières.*

Lorsque le grand jour est arrivé, l'exposé s'est déroulé tel que prévu. Marie-Sol avait non seulement un portfolio impressionnant et très varié à présenter, mais aussi un aperçu du catalogue et de la mise en marché du nouveau produit destiné à la commercialisation. Sa présentation avait dû impressionner le comité puisque l'après-midi du même jour, nous recevions la bonne nouvelle à l'effet que la subvention nous était accordée!

Malgré toute cette excitation, la joie que nous procurait notre sentiment d'accomplissement nous donnait l'impression de vivre au ralenti. Les repas en famille semblaient durer plus longtemps, ce qui nous permettait de créer un meilleur dialogue et développer un lien précieux avec nos enfants. Nous nous attardions à la table en rêvassant à un avenir prometteur.

Avril 2011

Marie-Sol suivait religieusement ses cours de lancement d'entreprise et, même si parfois il y en avait quelques-uns qui lui semblaient futiles, elle restait concentrée pour capter un maximum d'information. Parallèlement, elle devait produire un plan d'affaires en bonne et due forme. De toute façon, tant qu'à démarrer une entreprise, aussi bien le faire convenablement du premier coup.

En plus des cours et des travaux, nous continuions les étapes de conception du visuel graphique et du développement de l'identité de notre entreprise. Marie-Sol dessinait de nouveaux modèles de décors amovibles que j'alimentais d'idées, tout en élaborant et ciblant une liste de magasins pour y faire de la représentation et conclure des ventes.

Nous voulions aussi faire de la prospection visant l'autre branche de l'entreprise, c'est-à-dire les services de peinture artistique sur mesure telles que des murales de grand format, des faux-finis, des reproductions de grands maîtres ou toute autre œuvre personnalisée. Notre stratégie était simple et diversifiée. *Les Illusarts* allaient donc se positionner sur le marché en s'attaquant à la fois aux secteurs commercial et résidentiel, tout en proposant des produits qui se vendraient en magasin.

En même temps, je travaillais dans une école de notre quartier comme entraîneur de l'équipe de hockey cosom (hockey qui se joue sans patins, à l'intérieur d'un gymnase, avec une balle plutôt qu'une rondelle) me retrouvant ainsi à encourager Ludovic, notre aîné. C'était tellement formidable d'avoir ce lien privilégié, et ce, même si je ne favorisais en aucun cas mon enfant. Justement, cela lui enseignait l'importance de l'équité. J'aimais inculquer aux jeunes les valeurs et les mérites de l'entraide et d'un bon esprit d'équipe. Sur le chemin du retour à la maison avec Ludovic, j'en profitais pour lui souligner ses bons et moins bons coups.

Notre structure professionnelle se résumait ainsi : je travaillais quelques heures à l'école et le reste de mon temps était consacré à notre entreprise à titre de menuisier, magasinier, représentant et, avant tout, comme concepteur. Marie-Sol travaillait à temps complet dans la compagnie tout en poursuivant ses cours et ses travaux d'études. La vie était belle, même très belle. Nous étions heureux et satisfaits de la façon dont se déroulaient les évènements. Peu de temps auparavant, nous vivions toujours à la course engendrant du stress négatif par le fait même. Selon nos critères, notre qualité de vie était maintenant parfaite. Nous étions libres de notre temps pour établir notre avenir professionnel et, surtout, nous avions la santé.

Nos efforts avaient rapidement été récompensés puisqu'à la fin du mois, nous obtenions notre première commande pour une entreprise qui comptait deux magasins. Nous étions fous de joie. Amateurs de vin rouge, nous avons célébré cette première victoire. Nous avions travaillé comme nous le voulions et voilà que se concrétisaient nos rêves et nos projets. Nos produits pour chambres d'enfants se vendraient en magasin tout en obtenant la visibilité voulue pour peindre des murales de grand format.

Mai 2011

La vie était merveilleuse et le printemps s'annonçait magnifique. Nous étions entrés en pleine période de production. Tout était bien planifié dans nos horaires respectifs. Malgré des semaines bien remplies, nous arrivions à passer du bon temps en famille. Au gré de nos promenades dans les sentiers du petit bois derrière notre maison, nous profitions de cette saison si énergisante. Quel privilège de respirer le bon air frais et d'être témoins du réveil des végétaux!

Marie-Sol qui apprenait les rudiments du lancement d'entreprise nageait au travers des notions juridiques, d'assurance, de ressources humaines et d'autres éléments importants. Les cours hebdomadaires ainsi que les travaux étaient de plus en plus fastidieux et complexes, mais rien d'irréalisable. La motivation était au rendez-vous, car nous construisions notre entreprise selon des enseignements précis. De toute façon, tant qu'à suivre des cours, pourquoi ne pas les appliquer immédiatement à notre réalité?

Les semaines défilaient à vive allure. Ce qui nous semblait étrange était que, plus nous savourions le moment présent en travaillant à réaliser nos objectifs, plus les journées nous semblaient plus longues, car elles étaient bien remplies. La production de décors amovibles pour enfants allait bon train et nous avions dû réaménager les lieux de travail et repenser la disposition du sous-sol afin d'optimiser la fabrication.

Mon atelier de menuiserie était maintenant équipé d'outils plus performants. La poussière du MDF (*Medium Density Fiberboard* ou panneau de fibres à densité moyenne) ne faisant pas bon ménage avec la peinture, nous avions créé deux espaces distincts. Toute la famille avait fait le compromis de libérer la salle de jeux des enfants pour céder l'espace à l'atelier de peinture artistique de Marie-Sol.

Les garçons ne furent pas difficiles à convaincre puisqu'ils n'utilisaient plus cette superficie autant qu'auparavant. Ils comprenaient sûrement les avantages d'avoir leurs parents heureux et présents à la maison. De plus, comparativement avec notre précédent appartement de Montréal, à elle seule, la cour arrière offrait une immense salle de jeux.

Notre sous-sol nous procurait donc des lieux adaptés au bon fonctionnement de notre entreprise. Même le bureau avait été transformé avec un classeur approprié et un tableau de production. L'espace ainsi organisé, de façon utile et efficace, joliment décoré selon nos goûts, le rendait chaleureux et pimpant.

Le plus plaisant de notre boulot était de travailler à notre rythme, tout en respectant nos échéanciers. La création de nouveaux produits, la fabrication et la gestion qui partaient toutes sur de bonnes bases étaient le résultat de notre assurance et de notre positivisme quant à l'avenir.

Notre vie tourbillonnait d'activités à la suite de nos accomplissements et nous fêtions chaque avancée.

Au cours du mois, lors de nos achats de matériel d'artiste pour compléter notre inventaire de pinceaux, une mère et sa fille nous ont entendu parler de notre concept de décors amovibles. Elles cherchaient justement à décorer une future garderie. Il a souvent été dit que les hasards n'existaient pas, mais que les coïncidences étaient nombreuses! Il fallait saisir cette belle occasion et agir rapidement étant donné que l'ouverture du service de garde était prévue pour le début du mois de juin et nous étions déjà rendus en mai. Voilà la façon dont un autre contrat s'est greffé au carnet de commandes déjà bien garni.

Juin 2011

La fin de l'année scolaire approchait. Ludovic terminait sa deuxième année au primaire avec de très belles notes. Il va sans dire que nous, ses parents, en étions très fiers. Louis-Matis, quittant le monde de la petite enfance, était plus que prêt à entreprendre l'école à l'automne aux côtés de son grand frère.

L'été s'installait tranquillement et le mercure augmentait de jour en jour. Les journées étaient belles et le soleil nous enveloppait de ses chauds rayons.

La production avançait bien et les délais de livraison des commandes passées durant le mois de mai approchaient. La frénésie de livrer les commandes était totalement enivrante.

C'était un mélange de fierté du devoir accompli et du sentiment d'avoir réussi à faire ce que nous voulions dans la vie. Nous travaillions à notre rythme. Notre horaire convenait parfaitement à notre famille. Cette harmonie bénéficiait par le fait même à notre couple.

La prospection allait bon train : quatre boutiques vendaient et proposaient nos produits et nos services personnalisés, en plus d'autres contrats résidentiels.

La compagnie roulait bien. Nous n'avions rien à demander de plus, car tout se déroulait selon nos plans. Des cours d'entrepreneuriat et du travail d'éducateur continuaient de s'ajouter à l'horaire déjà chargé de production.

Nous n'étions jamais en panne de nouvelles idées et nos soirées étaient animées par des discussions autour de prototypes et de nouveaux concepts.

Les enfants étaient directement touchés par notre enthousiasme, car nous étions plus que jamais présents lorsqu'ils en avaient besoin. Nous étions disposés à les encadrer tout en leur laissant de grandes périodes pour s'organiser entre eux. Nous étions joyeux et savourions la vie à pleines dents.

Juillet 2011

Au cours de cet été, nous avions pris la décision de ne pas envoyer les enfants au camp de jour et ainsi leur procurer l'occasion de passer leurs vacances à la maison.

C'était un gros projet, car nous savions que le fait d'avoir les enfants à la maison toute la journée aurait nécessairement une répercussion sur la production ainsi que sur la prospection. Mais puisque nous avions justement choisi ce plan de carrière pour nous permettre de donner le meilleur à nos enfants, nous étions donc prêts à faire quelques sacrifices.

Issus d'une génération où nos mères restaient au foyer, nous voulions cette liberté que représentaient les vacances d'été à la maison pour nos deux fistons. Il nous fallait seulement ajuster notre horaire en mettant les bouchées doubles le soir venu. Ces petits ajustements n'étaient rien en comparaison du bonheur associé au fait de passer du temps en famille au parc, dans la piscine ou dans notre petite forêt, dès que le permettait le beau temps.

Nous avons alors vécu de merveilleuses journées pour, entre autres, grimper au sommet du mont Saint-Hilaire, nous promener sur les plages longeant le fleuve Saint-Laurent, gravir les nombreuses marches aux abords des chutes Montmorency, pique-niquer sur l'île d'Orléans et parcourir les plaines d'Abraham.

Avec le recul, connaissant les événements qui ont suivi, nous nous félicitons d'avoir pris ce précieux temps pour profiter de toutes ces activités en famille. Ne jamais remettre l'important à plus tard n'aura eu autant de signification!

Août 2011

À la suite de cet été de rêve à prendre du bon temps en famille, la roue de notre chaîne de production a continué de faire ses premiers tours.

Nous pouvions livrer nos décors amovibles dans de plus en plus de nouvelles boutiques. Aux commandes de base, il s'ajoutait des demandes personnalisées et même nos premières commandes étaient renouvelées! Nous étions agréablement surpris du succès de nos premières ventes.

Inutile de préciser que l'été défilait à la vitesse grand V. Chaque semaine, nous consacrions au moins une journée à une activité de plein air comme se promener au parc de la Mauricie. Une autre journée à pratiquer un sport tel que le mini-tennis. De plus, Ludovic faisait partie d'une équipe de soccer, ce qui nous occupait deux soirs par semaine. Lorsque la température se gâtait, nous en profitions pour travailler pendant que les enfants jouaient sur leurs consoles de jeux.

Nous cultivions également un petit potager regorgeant de tomates, de petites fèves et de concombres. À l'autre extrémité de notre cour, nous avions planté des framboisiers, des bleuets et des petits plants de fraises des champs.

Je prenais fièrement soin de ma pelouse et Marie-Sol des plates-bandes remplies de fleurs les unes toutes aussi colorées que les autres. Notre plus jeune apprenait à nager seul, nous permettant ainsi la baignade en toute confiance. Aussi, pour les toutes premières fois, nous pouvions faire des promenades à bicyclette où chacun pédalait en solo avec assurance.

Septembre 2011

L'été tirait déjà à sa fin faisant place à la rentrée scolaire. Pour nous, cette rentrée était très émouvante parce qu'elle signifiait la fin d'une période très agréable de notre vie familiale. Nos deux enfants avaient maintenant complété la phase de la petite enfance. Ils étaient parvenus à l'étape de la scolarité. Nous savourions pleinement ce moment parce que nous avions pu bien préparer Louis-Matis à cet important passage.

Malgré le fait que nous aurions volontiers prolongé les vacances d'été, il était bien de reprendre le travail à temps complet.

Les cours de lancement d'entreprise prenaient fin après cette pause estivale. Marie-Sol devait maintenant terminer le plan d'affaires pour obtenir son diplôme, ce qui a été accompli assez rapidement. De mon côté, j'avais obtenu un poste permanent d'éducateur pour tous les repas du midi dans une école tout près de la maison. Cela m'assurait un revenu stable avec, en bonus, des périodes parascolaires dans une autre école primaire. Tout cela s'ajoutait à mon horaire de prospection et de production déjà chargé. Outre la fabrication qui redoublait, de nouveaux détaillants s'ajoutaient pour commander nos décors amovibles.

Parallèlement, nous voulions développer une autre branche à l'entreprise et ainsi ajouter la possibilité d'appliquer notre art à un autre niveau. Nous lancions donc un tout nouveau produit visant une autre clientèle que celle du monde de la décoration pour enfants. Nous voulions élargir notre marché aux boutiques spécialisées en fabrication d'armoires de cuisine et de vanités de salles de bain. Le concept consistait à choisir une porte d'armoire et de la transformer en une œuvre d'art bien fonctionnelle. La porte choisie serait peinte selon les goûts des futurs clients se démarquant ainsi des autres portes.

En atelier, tout allait rondement. Grâce à un désir de toujours optimiser notre temps, nous avions trouvé des méthodes de plus en plus efficaces. Pour cela, nous investissions une grande partie de nos profits dans l'achat d'équipement adéquat dont une scie à chantourner, un banc de scie et un bon pistolet à peinture. Pas une seule seconde avons-nous pensé de mettre de l'argent de côté pour les jours de pluie.

Nous pensions être suffisamment jeunes pour avoir le temps d'amasser de l'argent pour investir dans un REER ou simplement dans une assurance. Maintenant, nous le savons, la vie est remplie d'impondérables... qui nous prennent par surprise!

Un soir, un client nous a téléphoné pour nous offrir un gros contrat en vue de l'agrandissement d'un sous-sol incluant une multitude de faux finis et de textures qui devaient être la continuité du sous-sol existant à l'allure d'un petit village vieillot français. Ce projet semblait gros, très stimulant et aussi assez rentable. Le seul petit bémol était l'emplacement de cette maison. Elle était située en banlieue de la ville de Laval, sur une petite île où était érigée une poignée de grosses maisons bordées de part et d'autre par la rivière des Mille-Îles, à une heure et demie de route de notre maison.

Après avoir jonglé avec ce beau problème, nous avons demandé à une bonne amie habitant Montréal, artiste peintre de surcroît, d'héberger Marie-Sol et de travailler sur ce contrat en équipe. La vie est souvent bien faite, car l'amie en question était justement disponible au moment prévu.

La rentrée automnale se déroulait très bien, Louis-Matis s'acclimatait facilement au groupe de la maternelle. Ludovic prenait de plus en plus de maturité. Bref, l'évolution scolaire suivait son cours de façon normale.

Octobre 2011

Au début du mois, Marie-Sol s'est exilée à Montréal pour effectuer ce gros contrat qui devait prendre environ une semaine. Tout se déroulait bien et à un bon rythme. Le seul ennui était la séparation vécue assez difficilement par notre petite famille.

Chaque soir, nous nous retrouvions devant la caméra Web et, malgré cela, nous étions tristes de ne pas pouvoir se faire de vrais câlins. Il est important de préciser que nous n'étions aucunement habitués à vivre éloignés les uns des autres. Même qu'en dix-huit ans de vie commune, notre couple n'avait été séparé qu'une seule fois pendant dix jours consécutifs, ce qui nous avait semblé être un mois à l'époque.

De plus, nous faisions rarement garder nos enfants, car nous préférions passer le maximum de temps tous ensemble. Les enfants grandissent si vite. Nous étions pleinement conscients que dans un proche avenir, ils choisiraient souvent d'être avec leurs amis plutôt qu'avec leurs parents.

Puisque nous avions un plaisir fou à travailler à notre propre compte, comme nous l'avions tant rêvé, le compromis de la séparation s'est tout de même bien effectué.

De mon côté, je m'occupais avec amour de nos bambins. J'en avais même profité pour organiser des soupers et des soirées typiquement de gars. Quant à Marie-Sol, elle était très bien accueillie par notre couple d'amis et elle s'amusait entre les périodes intensives de travail.

Le contrat résidentiel s'est terminé avec un peu de retard, mais le résultat en valait grandement la peine. De plus, la satisfaction du client était plus importante à nos yeux que quelques jours d'extension. De retour à la production en atelier, nous devions reprendre le travail accumulé durant l'absence de l'artiste. Nous étions très occupés, car nous avions bon espoir de récupérer nos retards pour finalement être à jour.

Sauf que par un beau matin ensoleillé, nous avons reçu un courriel inattendu. Il s'agissait d'une des nombreuses graines que j'avais préalablement semées et qui venait de germer, promettant d'être une grande plante à fleurs.

Voilà qu'une très belle compagnie de produits et de décorations pour enfants, ayant plusieurs boutiques bien situées dans Montréal et les environs, nous demandait de fabriquer une gamme de produits à partir de leurs illustrations.

Dès cet instant, notre compagnie, *Les Illusarts,* venait de prendre un bon coup de croissance. Le succès était au rendez-vous. En plus de produire nos propres concepts, nous venions de décrocher notre plus gros contrat puisque ce nouveau client promettait un roulement à l'année. Le quotidien s'annonçait très stimulant!

Novembre 2011

L'automne cédait tranquillement sa place à l'hiver. Dans toute cette frénésie, nous avions délaissé un peu notre belle petite forêt, même si nous avions l'habitude de nous y promener en famille peu importe la saison. Nous savions cependant qu'elle serait toujours là lorsque l'effervescence de la première année de l'entreprise serait passée.

Néanmoins, chaque matin, Marie-Sol se faisait une joie d'aller reconduire les enfants à pied à l'école. C'était un moment de pur bonheur où la fatigue accumulée se dissipait comme par magie. Et, à la fin de la journée, je faisais correspondre mes déplacements dus aux courses avec le retour des enfants à la maison.

Puis, la routine des soirs de semaine reprenait son cours comme dans la plupart des familles. Je m'occupais des devoirs et des leçons des enfants pendant que Marie-Sol préparait le souper et les lunchs du lendemain.

Les journées de travail se terminaient assez tard, car lorsqu'on démarre sa propre entreprise, il faut s'occuper de beaucoup de détails. Nous nous occupions nous-mêmes de notre comptabilité. La facturation demandait une attention particulière puisque nous devions surveiller que les délais de paiements pour nos produits vendus en magasin soient respectés.

Nous comprenions que le succès de notre entreprise était directement lié à une rigueur et à une discipline de travail. Notre complicité naturelle et une inestimable communication enrichissaient l'équipe que nous formions, ce qui nous permet-tait de ne pas nous égarer ni nous épuiser à la tâche.

Décembre 2011

Le temps filait à toute vitesse, car l'espace d'un instant, nous avons fait le constat qu'arriverait bientôt la période des fêtes et que déjà une autre année était sur le point de se terminer. Grâce à toute la publicité et l'efficacité du bouche à oreille des derniers mois, il n'était pas surprenant que le téléphone continue de sonner.

Nous pensions que le rythme allait diminuer étant donné l'approche des vacances de Noël. Nous savions que les boutiques seraient occupées par l'achalandage propre à cette période de l'année et que les clients se préoccuperaient plutôt des cadeaux que de décoration artistique. Nous avions effectivement vu juste; nos détaillants avaient grandement diminué leurs commandes, mais ce que nous n'avions pas prévu, c'était l'affluence d'autres types de contrat.

Une designer que j'avais rencontrée lors de mes tournées nous proposait de concevoir une décoration pour une grande salle familiale. Cependant, il y avait un petit hic, le projet était pour une commandite... Nous étions une jeune compagnie ayant à peine onze mois d'activités et il nous était donc difficile de donner bénévolement de notre temps, en plus de fournir tous les matériaux. Il ne nous a pris qu'une seule minute pour prendre notre décision lorsque nous avons su de quelle cause il s'agissait. La salle familiale était une des pièces de la maison *Rêve d'enfants* de Trois-Rivières, maison qui ferait l'objet d'un tirage par la vente de billets. Les fonds amassés aideraient une famille ayant une fillette malade. Touchés, nous avons alors ajouté ce contrat qui offrait, en même temps, une belle visibilité pour notre entreprise.

Même si le babillard de production était bien rempli, cela n'empêchait pas le téléphone de sonner. Sans l'avoir cherché, nous nous sommes retrouvés à fabriquer des décors de Noël pour décorer l'extérieur d'un magasin de meubles. Contre toute attente, plus nous avancions vers la période de Noël, plus le travail s'accumulait.

Après un gros mois de décembre, nous avons réussi à tout livrer à temps et ainsi profiter du temps des fêtes pour jouir d'une période de repos bien méritée et célébrer en famille. Grâce à notre structure équilibrée, nous avons pu prendre le temps de jouer dans la belle neige avec les enfants.

Savourer l'hiver est synonyme d'activités extérieures. L'année précédente, nous avions entretenu une petite patinoire à l'arrière de notre maison, excellente idée, quoique plutôt exigeante.

Cette année, nous avions donc choisi de construire une belle grande glissade qui partait du patio pour terminer sa course dans le pavillon de jardin, après une longue courbe. Assis sur des soucoupes, les enfants et leurs amis glissaient à vive allure sur la surface que j'avais glacée avec soin étant l'architecte de cette attraction!

À l'occasion, nous partions en expédition dans les sentiers de notre petite forêt. Quelle chance d'habiter en pleine ville et, en même temps, d'accéder à cet oasis de paix! Notre vie frôlait le paradoxe soit celui de voir le temps défiler à grande vitesse tout en jouissant du plaisir à l'état pur et, surtout, d'avoir l'impression de prendre le temps de vivre.

Janvier 2012

Déjà 2012 frappait à la porte! Des projets en quantité sur la table de travail permettraient à la compagnie de se solidifier. La période des fêtes se terminait comme elle avait commencé, dans la joie et le bonheur d'avoir vécu ces instants au quotidien avec les enfants et nos familles. L'école recommençait pour les garçons et les parents pouvaient à nouveau reprendre les rênes de l'entreprise. Après deux bonnes semaines de relaxation et de loisirs, le retour au travail était assez éprouvant, car des commandes s'étaient accumulées.

Nous commencions l'année en force ayant décroché un énorme contrat de notre plus gros client. Nous devions refaire son catalogue 2012 incluant l'ensemble de ses nouvelles collections. Sans perdre de temps, nous augmentions déjà la cadence de production en restructurant, encore et encore, les différentes étapes pour y insérer ce projet. Plongés dans la fabrication intensive, le catalogue nous obligeait à réfléchir et à faire plus de recherches, car il s'y ajoutait de nouveaux produits qui n'étaient pas de notre domaine d'expertise. Aimant relever des défis, nous avons fait nos recherches pour trouver les fournisseurs qui nous procureraient les pièces requises pour confectionner des lampes de chevet thématiques, un autre ajout aux collections du catalogue.

En plus, un autre contrat requérait une démarche un peu spéciale. Un client désirait une reproduction du peintre réputé Jean-Paul Lemieux. Puisque cet artiste n'était pas décédé depuis plus de soixante-dix ans et que nous en retirerions un revenu, nous devions nous assurer d'obtenir l'autorisation des descendants du peintre québécois.

Notre requête a porté fruit; la famille a autorisé Marie-Sol à reproduire une œuvre de ce grand artiste moyennant une honnête rétribution.

Ce petit certificat générait une grande fierté. Il y avait ce petit quelque chose de gratifiant d'avoir obtenu l'aval de la famille de cet illustre peintre. Mais bon, nous devions terminer le catalogue avant que Marie-Sol puisse se lancer dans ce long et complexe travail que représente une reproduction fidèle au chef-d'œuvre original. Et dire que son travail ne sera jamais immortalisé!

Nous travaillions déjà passablement fort lorsqu'un concessionnaire automobiles nous a demandé de fabriquer deux immenses logos de 2,27 mètres de hauteur pour décorer sa salle de montre. Le début de l'année était déjà très généreux avec nous. Les contrats se succédaient les uns après les autres. Notre carnet de commandes allait nous tenir occupés un bon mois.

Le nom de notre entreprise, *Les Illusarts,* commençait à bel et bien circuler dans la région. Une collaboratrice avec qui nous avions travaillé sur le concept artistique des portes d'armoires a décidé d'écrire un article dans la revue *MAG2000* de Trois-Rivières. Elle mentionnait que la tendance 2012 porterait sur cette idée originale lancée par notre entreprise.

Comme l'avenir nous était prometteur! À ce moment, nous étions loin de nous douter qu'une recherchiste de la populaire revue de décoration *Les Idées de ma maison* travaillait sur un numéro consacré aux décors de chambres d'enfants. Arrivée sur notre site Internet par hasard, elle nous a contactés pour nous proposer de publier une photo d'une de nos murales ainsi qu'un court texte à propos de notre entreprise.

Pour nous, c'était tout simplement l'apothéose!

Février 2012

C'était carrément l'euphorie. Tous les contrats allaient bon train en plus d'une formidable visibilité offerte par deux revues dont l'une à fort tirage à travers tout le Québec et l'autre rejoignant notre public-cible de Trois-Rivières. Nous travaillions corps et âme. La date de tombée du catalogue de notre plus gros client approchait vite, très vite. La séance de photos des produits était prévue pour la première semaine de mars.

À peine une semaine s'était écoulée à la suite de la parution de notre murale pour chambre d'enfants, de style pirate, que le téléphone s'est remis à sonner! Cela a eu comme conséquence de remplir notre carnet de commandes jusqu'au début du mois de mai avec quelques contrats de chantier à l'extérieur de l'atelier. Nous étions comblés par la belle diversité que nous procuraient nos projets. Nous manquions même de temps pour calculer nos soumissions. Mais avant tout, il nous fallait finaliser le catalogue parce qu'en plus de le facturer, il nous apporterait un roulement fiable.

Malgré tout le travail qui nous attendait, nous avons quand même pris le temps, le 14 février, de célébrer notre dix-huitième Saint-Valentin ensemble.

Peut-être en raison de notre nouvelle vie et du sentiment de liberté que ce changement nous apportait, ou simplement en vertu d'une plus grande autonomie due à la croissance de nos enfants, une chose était certaine, notre couple était à son apogée. Nous étions très amoureux et, en dépit du nombre d'heures passées ensemble, nous riions, nous parlions de tout et de rien et la magie de la séduction était non seulement toujours au rendez-vous après tant d'années, mais elle s'était améliorée! Nous étions littéralement en symbiose, tout en respectant chacun notre individualité.

Mars 2012

Nous avions pris un peu retard dans nos livraisons, mais rien d'alarmant, car notre cliente commencerait ses séances de photographies que lorsque les collections complètes seraient livrées à Montréal.

Il était néanmoins très important de ne pas ralentir la cadence de travail, malgré que la semaine de relâche arrivait à grands pas et cet intermède nous inquiétait un peu. Il y aurait nécessairement un ralentissement afin de pouvoir pratiquer quelques activités avec nos garçons.

Néanmoins, nous étions prêts à sacrifier la relâche de cette année le temps que le fonctionnement de l'entreprise soit mieux rodé. Nous avions alors acheté une console de jeu vidéo pour occuper les enfants durant la poursuite de nos activités. Nous nous sommes dit, à ce moment-là, qu'il y aurait bien d'autres semaines de relâche au cours des années à venir. Qui aurait pu prédire la surprise que nous préparait l'avenir!?

Durant la semaine, juste avant le congé scolaire, un de nos deux enfants est tombé malade; il souffrait d'un mal de gorge et d'une légère fièvre. Le virus provenait probablement de sa classe, car nous avions justement reçu un message de l'école nous avertissant que certains élèves subissaient les ravages d'un streptocoque et/ou de la scarlatine. La routine quoi!

Nous étions justement immunisés contre la scarlatine puisque les quatre membres de notre petite famille l'avaient contractée deux ans auparavant. Notre enfant ne pouvait donc avoir que le streptocoque et il le combattait bien. Comme il demeurait relativement tranquille, cela nous donnait une petite chance d'avancer dans notre course contre la montre. Notre fiston a rapidement guéri à l'aide d'ibuprophènes et, en moins de deux jours, il était de retour en classe.

Puis, ce fut à mon tour d'attraper le même virus, mais avec un peu plus d'intensité. Mon état ressemblait davantage à une grippe accompagnée d'un gros mal de gorge et d'un abattement général. Mais après trois jours au ralenti et quelques médicaments, de nouveau, j'étais d'attaque.

Il n'en fallait pas plus pour que Marie-Sol développe, à son tour, un mal de gorge.

Après moins d'une journée, une légère fièvre ainsi qu'une toux sont apparues. Elle venait d'attraper le virus. Elle était loin de savoir à ce moment-là que la maladie était d'ordre bactérien. Nous pouvons maintenant témoigner qu'il y a une énorme différence entre un virus et une bactérie.

Ce n'était pas le très supportable mal de gorge ni la petite toux qui a vraiment obligé Marie-Sol à cesser de peindre, c'était plutôt le mal de ventre qui ne lui laissait aucun autre choix que de s'allonger. Rarement avait-elle des maux de ventre lors de ses règles, mais en raison du virus, nous avons pensé qu'il était normal qu'elle soit déstabilisée.

Durant ces deux journées, Marie-Sol dormait et mangeait peu. Les acétaminophènes remplissaient leur fonction d'atténuer les symptômes.

Bien des maladies circulent dans une maison lorsqu'il y a des enfants en bas âge. Nous avions tous un bon système immunitaire et nous n'allions à l'hôpital qu'en cas d'absolue nécessité. N'ayant pas de médecin de famille, nous n'étions pas du genre à engorger les urgences. Nous pensions qu'il s'agissait d'une fichue de bonne grippe, mais sûrement rien d'alarmant, ayant l'impression que la situation commençait à se rétablir. La toux et le mal de gorge avaient disparu.

Mais le mal de ventre, lui, persistait. Tout à coup, Marie-Sol a commencé à vomir. Quelle malchance! Une gastro-entérite qui prenait la relève de la grippe.

⮞ LA CHUTE ⮜

La descente aux enfers

[Marie-Sol]

Ça fait maintenant quatre jours que je régurgite avec très peu de répit. Je suis complètement vidée, exténuée. Je ne comprends pas, j'ai déjà eu des gastro-entérites, mais jamais aussi intenses que celle-ci.

À un moment donné, j'ai pensé que les vomissements étaient terminés, car j'ai mangé un peu après avoir gardé mon eau, mais ils sont revenus. Je n'en peux tout simplement plus, je suis tellement déshydratée que je ne suis même pas capable de pleurer.

Alin vient me voir très souvent; je le sens très inquiet. Il veut m'amener à l'urgence. Je le rassure en lui disant que ça va passer, mais je commence moi-même à en douter. Une petite voix me chuchote dans ma tête qu'il faut aller à l'hôpital. Mais je me sens si faible que je ne pense même pas être capable de me préparer pour me rendre à la voiture. Et pourquoi y aller? Ils vont m'expliquer que ça va passer et me dire de retourner chez moi, ce qui serait un retour à la case départ.

Alin me dit que ma mère a téléphoné. Je n'ai pas eu la force de lui parler. Les garçons sont au salon, je sais qu'ils entendent ce qui se passe dans la chambre. J'espère qu'ils ne sont pas trop tristes pour moi. Bon, c'est décidé, demain, si mon état ne s'est pas amélioré, nous irons à l'urgence.

Enfin... j'ai cessé de vomir. Mais pourquoi est-ce que je me réveille en pleine nuit? Je suis si fatiguée, je devrais arriver à me rendormir. Ma respiration est bizarre. Je cherche un peu mon air. Je dois être stressée et l'énorme retard sur mon travail doit m'angoisser. Nous devions livrer une grosse commande et plusieurs autres contrats vont aussi prendre du retard. Bon, je me dis de me calmer et de penser à autre chose. Respire, lentement. Calme-toi! Il n'y a rien de grave, nos clients comprendront... respire.

Pourquoi est-ce que ça ne marche pas? Je n'ai jamais souffert d'insomnie ni de crise de panique ou d'angoisse. Pourquoi est-ce que je n'arrive pas à respirer calmement? Je ne veux pas réveiller mon amour qui dort juste à côté de moi. Il a tout fait pour moi depuis des jours et il doit se reposer. Je vais aller au salon, j'arriverai peut-être à me calmer.

Respire... respire tran-quil-le-ment! Bon dieu!

Les heures passent et je cherche de plus en plus mon air. Ma respiration est rapide et saccadée. Mais qu'est-ce qui se passe avec moi? Je n'ai plus de nausées, juste ce mauvais goût dans la gorge. Je devrais aller mieux! Je veux dormir.

Le soleil se lève et je n'arrive toujours pas à respirer normalement. Aucune de mes techniques de relaxation ne fonctionne, j'ai l'impression de paniquer... Ça ne va pas, même que ça ne va pas du tout. Dès que quelqu'un se lève, nous irons à l'hôpital.

Ludovic se réveille en premier. Je me rends compte à quel point j'ai de la difficulté à respirer quand j'arrive à lui parler. De peine et de misère, je lui demande d'aller réveiller son papa, il faut tout de suite aller à l'urgence.

Jour 1 - Jeudi, 8 mars 2012

[Alin]

6 h 30, je téléphone à ma mère pour lui dire que nous allons lui amener les enfants et que nous nous rendrons à l'hôpital de Nicolet tout près de chez elle puisque cette urgence est moins congestionnée que celle de Trois-Rivières. J'aide Sol à mettre ses bottes et son manteau. Elle a eu beaucoup de difficulté à s'habiller. Les enfants ressentent l'urgence et se pressent de se rendre à la voiture. Je ne comprends pas de quoi Sol est affligée. Depuis quand a-t-on de la difficulté à respirer après une gastro?

En chemin, entre Trois-Rivières et Nicolet, je n'ai entendu aucun son dans l'auto, sauf la respiration difficile de Sol. Tout en me concentrant sur la route, je lui jette des regards soucieux et je ne vois que ses lèvres qui sont de plus en plus bleutées. Je remarque aussi que ses joues commencent, elles aussi, à prendre cette teinte inquiétante.

J'arrive enfin chez mes parents. Ma mère, en robe de chambre, ouvre la porte dès qu'elle aperçoit notre auto. Je sors rapidement avec les enfants qui sont très inquiets. Leur maman demeure dans la voiture, concentrée sur sa respiration. Les garçons comprennent bien la gravité de la situation et ne cherchent pas à lui donner de câlins. Ils courent vers leur mamie. En quelques secondes, sur le pied de la porte, j'essaie de les réconforter et je leur dis que tout ira bien.

Au pas de course, je suis de retour au volant en direction de l'hôpital. Je suis de plus en plus inquiet, car Sol panique un peu. Je la rassure, nous sommes tout près de l'urgence et les médecins sauront en prendre soin. Il me semble que sa respiration est de plus en plus bruyante. Je dois me concentrer sur la route, car je roule au-delà de la vitesse permise.

Enfin! Nous sommes arrivés dans le stationnement. Le vent est glacé et je dois tenir Sol pour l'aider à marcher. Sa respiration est très difficile et elle est extrêmement haletante.

Une fois au triage, une petite famille nous laisse gentiment passer devant eux. Une infirmière s'aperçoit rapidement de sa détresse. Elle l'amène dans une salle d'examen. Je les suis et je réponds aux questions : « Asthmatique? Non. Allergies? Non. Pourquoi et depuis quand? Gastro depuis quelques jours et difficultés respiratoires depuis cette nuit. » Après ce court interrogatoire médical, l'infirmière m'envoie dans la salle d'attente, le temps d'installer et préparer Marie-Sol pour qu'elle soit examinée par un médecin.

[Marie-Sol]

Je suis entourée d'infirmières et de médecins à l'air grave. J'entends même quelqu'un dire : « Tu parles d'un jeudi matin!» Prestement, on m'installe un masque à oxygène. Enfin! Je suis soulagée, je vais finalement pouvoir respirer! En même temps, on me déshabille pour me vêtir d'une jaquette d'hôpital. Je ne comprends pas. Je ne vais pas avoir juste besoin d'antibiotiques et retourner à la maison? Je réalise que je ne respire toujours pas mieux. Pourquoi? Pourtant, je reçois de l'oxygène. Ça signifie peut-être que ça prendra un peu plus de temps à faire effet. Patience Marie-Sol, tu es entre de bonnes mains.

On place une planche froide et dure dans mon dos pour prendre des radiographies des poumons. Ah, bon sang! J'espère qu'ils vont vite trouver le problème parce que je n'ai pas l'impression que je pourrai tenir encore longtemps comme ça! Si je pouvais au moins prendre une bonne grande respiration. Ils sont tous si sérieux autour de moi, est-ce que mon cas est aussi alarmant qu'il semble l'être?

Oh non! J'ai rapidement ma réponse, car j'entends le médecin demander d'appeler les ambulanciers. On veut me transférer à l'hôpital de Trois-Rivières! Presqu'à l'instant même, les ambulanciers arrivent avec une civière. Ils m'y déposent rapidement et quelqu'un branche mon oxygène à une bouteille portative. Le médecin m'explique que j'ai une pneumonie sévère et qu'à cet hôpital, ils ne sont pas équipés pour me traiter. Je ne comprends vraiment pas comment j'ai pu attraper une pneumonie en une nuit! Je n'ai même pas toussé ou presque depuis plusieurs jours. Je me souviens d'avoir déjà eu une bronchite, il y a plusieurs années et le médecin m'avait alors dit qu'il était grand temps que je consulte, car elle aurait pu dégénérer en pneumonie et qu'il peut se passer plusieurs semaines avant d'en être rétabli. Entre deux respirations, j'ai une petite pensée pour mes contrats.

[Alin]

Quinze minutes plus tard, l'infirmière vient me chercher, car le médecin veut me parler. Je me rends avec elle dans le bureau du médecin. Il est assis devant une radiographie des poumons de Sol et il est absorbé à l'examiner attentivement. Dès qu'il m'aperçoit, il me dit tout de suite que ma bien-aimée souffre d'une pneumonie sévère et qu'elle est peut-être en choc septique. Pendant qu'il m'explique la situation, on l'installe déjà sur une civière.

On m'amène la voir quelques instants; elle est bien attachée sur la civière à l'aide de courroies, un masque à oxygène sur le visage. Je peux voir un léger sourire à travers son masque qui me dit que tout ira bien. Mais, instantanément, je sais que ça ne va pas du tout parce qu'elle est trahie par ses petits yeux affolés. L'infirmière m'informe alors qu'ils sont prêts pour le transfert à l'urgence de Trois-Rivières et qu'un médecin s'y rendra avec elle. Je la vois partir sans trop réaliser la gravité de la situation.

L'instant présent vient de changer de vitesse. Comme au ralenti, je me dirige pourtant au pas de course vers l'auto pour essayer de suivre l'ambulance. Je démarre la voiture et je cherche le véhicule d'urgence sur la route, mais en vain. Ils sont conçus et formés pour aller vite. Je décélère donc, pensant qu'une situation critique dans nos vies était bien suffisante pour le moment.

[Marie-Sol]

Oh la la... Comme on roule rapidement! Je ne me sens pas bien du tout. Est-ce dû au manque d'oxygène ou à cause de l'effet de la vitesse? Je suis en position assise et j'aperçois la route défiler derrière l'ambulance. Ça me donne le vertige, mais je continue de regarder au cas où j'apercevrais mon amour dans notre voiture.

Je suis accompagnée par le médecin qui m'a accueillie à l'urgence de Nicolet et une infirmière. Ils essaient de me rassurer et ils me disent ce que je me répète depuis des heures : « Respire lentement... res-pi-re. »

Les ambulanciers sont concentrés sur la conduite à haute vitesse. La chaussée est très cahoteuse en ce début de printemps précoce. On roule vraiment vite et les sirènes signifient qu'il y a urgence. Je n'ai jamais traversé le pont Laviolette à aussi grande vitesse. Toutes les voitures nous laissent passer.

Je suis un peu abasourdie par la gravité de la situation, tout en essayant de mieux respirer. C'est ce qui me préoccupe le plus, pourquoi est-ce que je n'arrive toujours pas à respirer, et ce, même avec tout cet oxygène! Je me contrôle de moins en moins, en proie à une panique grandissante. Qu'est-ce qui m'arrive et pour quelle raison est-ce que je cherche de plus en plus de l'air à respirer?

[Alin]

Arrivé à l'hôpital de Trois-Rivières, il me faut retrouver Sol. Je me rends à l'urgence pour voir si elle est passée par là. Hélas, aucune réponse. Les préposés me demandent de m'asseoir et d'attendre qu'on me trouve la réponse.

Après dix minutes d'attente interminable au triage, je décide que c'en est assez! Je sais qu'elle est déjà rendue à un autre niveau que l'urgence. Je vois deux ambulanciers passer. Je me faufile donc pour les suivre subtilement. Je me rends jusqu'au garage où arrivent les ambulances, mais celui de ma douce ne semble déjà plus y être.

Un infirmier me voit et m'interpelle pour me demander ce que je fais à cet endroit. Je lui explique vivement qui je cherche. Il m'amène alors dans une autre petite pièce qui m'apparaît plus propice pour des cas comme le mien.

D'ailleurs, un couple de personnes âgées est en train de pleurer à la suite d'un accident d'automobiles impliquant leur fils. Après une dizaine de longues minutes à attendre encore, je me remets en mode recherche pour retrouver Sol, incapable de rester en place plus longtemps. J'arpente donc les couloirs de l'urgence lorsque je rencontre le même infirmier. Il vient me chercher pour m'amener auprès d'elle qui est toujours sur une civière.

Je prends place à un endroit où je ne risque pas de déranger les manœuvres des professionnels de la santé. Ce qui m'importe le plus, c'est de pouvoir maintenir un contact visuel avec Sol.

Tout autour de nous s'activent des médecins, infirmières et spécialistes. J'ai toujours été une personne plutôt hypocondriaque ayant une vive aversion envers les aiguilles. Mais me voilà soudainement guéri, car je les regarde effectuer des prises de sang et injecter des antibiotiques. C'est complètement fou!

C'est comme lors d'un changement de pneu dans un Grand prix de *Formule un*, exponentiel mille, mais avec cette légère différence qu'au lieu d'une voiture de course, c'est d'un être humain qu'on s'occupe... et, précisément, c'est de ma belle qu'il s'agit. L'enfer. Rien de moins!

L'urgentologue qui a accueilli Marie-Sol à Trois-Rivières m'informe du diagnostic : choc septique.

Ces paroles résonnent dans ma tête parce qu'en tant qu'ex-hypocondriaque, je sais pertinemment qu'un choc septique, c'est proche du point de non-retour. Le médecin me résume clairement la situation et m'explique la suite des évènements.

Compte tenu de son état critique, elle va immédiatement être déplacée aux soins intensifs. Ensuite, elle va être plongée dans un coma. Sans comprendre comment ni pourquoi, mes genoux flanchent d'un coup et je me retrouve assis par terre lorsque je prends vraiment conscience que le médecin vient de prononcer le mot *coma*.

[Marie-Sol]

J'essaie toujours de respirer. Je veux respirer! C'est de plus en plus difficile. Je ne vois rien d'autre que ceux qui s'approchent près de moi. Autour, c'est tout noir. Je me sens céder à la panique. Je n'arrive plus à contrôler mes respirations. Un médecin me parle doucement. J'écoute sa voix calme et je me laisse rassurer. Il me dit que ça va bien aller. Il respire avec moi.

En même temps, des infirmières accrochent des poches de solutés et d'antibiotiques sur un poteau à côté de moi. Elles me piquent dans le bras pour insérer un cathéter. Ça ne me fait même pas mal.

Je réfléchis de moins en moins. Seule ma respiration donne le rythme. Il n'y a que l'oxygène qui existe. Le gentil médecin m'explique que c'est rendu trop difficile pour mon corps et me dit que, si je le veux bien, il me suggère de m'endormir. J'acquiesce de la tête. Oui, je veux dormir! Réglez ça sans moi! J'ai à peine le temps de penser qu'on m'anesthésie... et je pars dans un profond, profond sommeil.

Tout est noir.

[Alin]

Une des infirmières impliquées dans le dossier de Sol vient m'aider à me relever et à me ressaisir. Au même moment que mes esprits se replacent, la santé de Sol vient de passer à une autre étape et, d'après ce que je suis à même de comprendre, son état est pire encore que je l'imaginais.

Ses organes vitaux entrent dans une danse infernale et tout son corps lutte pour les préserver. Le médecin commence à m'expliquer les prochaines étapes. En même temps qu'il me fait une mise au point de la situation présente, nous nous dirigeons vers l'ascenseur qui nous conduira directement aux soins intensifs.

Il me raconte que les poumons de Sol ont de la difficulté à s'oxygéner et qu'il faut tout de suite qu'elle soit branchée sur un respirateur artificiel. Nous sommes à la porte de l'ascenseur et nous attendons.

Durant ces terribles instants, les infirmières s'affairent aux prises de sang, à l'installation de cathéters reliés à toutes sortes de solutés et d'antibiotiques. L'équipe d'intervention est en contact avec les soins intensifs pour leur donner l'heure juste et l'évolution de son état. Après une interminable attente, l'ascenseur arrive enfin à notre étage. À peine la porte ouverte, un tourbillon d'activités s'y introduit à toute allure.

Le docteur m'explique alors, dans des termes plus techniques, que la pneumonie de Marie-Sol est peut-être due à une bactérie. Nous sommes tous coincés dans cet espace restreint, car la civière prend beaucoup de place. Je perçois sur les visages des infirmières que la situation est *très* grave. Elles évitent même mon regard. L'air se fait rare dans la cage de l'ascenseur tellement la tension est palpable.

Durant l'ascension des quatre étages, je comprends qu'ils ont suffisamment analysé son sang pour savoir exactement ce qui a pu causer le choc septique. Le coma est provoqué afin d'offrir à son corps tous les outils nécessaires à son rétablissement.

La sonnerie du quatrième étage se fait entendre. Aussitôt les portes ouvertes, un autre groupe d'infirmières nous accueille et nous dirige vers la chambre 397.

Déjà, plusieurs appareils attendent l'arrivée de Sol. Je me place en retrait pour suivre cette course contre la montre. Au même moment, une infirmière vient me chercher pour me conduire dans une salle vide. Elle me dit que le docteur de garde va venir me parler. Le temps est long. J'ai pas mal fait le tour de toutes les affiches accrochées dans la salle. Environ quinze minutes plus tard, la docteure arrive et elle m'expose les premiers résultats des analyses de sang. Le labo vient d'identifier le coupable: le streptocoque de type A.

Le médecin me décrit ensuite ce que son équipe fait pour essayer de contrer cette bactérie parce qu'en ce moment, elle est déjà très répandue dans son corps. De plus, cette bactérie sécrète beaucoup de toxines, ce qui fait que Sol est en train de s'intoxiquer par l'intérieur en commençant, malheureusement, par les poumons. J'écoute attentivement. Je suis un brin déconnecté quant à la situation qui se déroule à une vitesse à peine soutenable tellement l'information fuse de partout. Après plusieurs minutes à faire le tour de la condition médicale de Sol, elle me brosse alors le portrait des différentes conséquences que cause le streptocoque à ce stade.

Aussi grande peut être la vitesse à laquelle l'événement se déroule, l'arrêt sur le moment présent est percutant et douloureux. Elle me décrit tous les résultats, sur l'échelle du temps, soit le présent, et de ce que peut être le futur de Sol, si son état s'améliore.

Premièrement, c'est l'inconnu quant au retour d'un coma à la suite d'une telle situation. Ensuite, consciencieusement, elle me décrit les réactions du corps face à ce type d'attaque. C'est à ce moment que l'un des pires mots sort de sa bouche : *amputation!* Elle me dit que pour sauver les organes vitaux, le corps humain coupe l'irrigation du sang aux membres provoquant ainsi des nécroses. Moi, je suis encore accroché au mot *amputation.* Je laisse mon subconscient s'occuper d'absorber l'information quant aux dégâts causés par le streptocoque entraînant un choc septique. Je m'isole dans mon esprit quelques instants pour essayer de faire un lien avec la suite des évènements depuis hier.

Je suis abasourdi, engourdi par la terreur. Mais le plus difficile est ce fort sentiment d'impuissance. Et il y a cette question qui m'obsède : pourquoi nous?

La docteure retourne à ses patients. À peine est-elle sortie de la pièce qu'une infirmière vient me chercher pour m'amener remplir des formulaires d'admission et toutes sortes de paperasse administrative. Pendant que j'écris machinalement nos coordonnées, j'entends une sonnerie de téléphone. C'est pour moi. Il s'agit d'une infirmière de la santé publique qui doit s'informer de la situation et qui veut connaître le début de l'histoire. Elle me pose des questions pour essayer de retracer l'origine de l'infection au streptocoque et, surtout, pour documenter ce cas. Après un simili interrogatoire des événements des derniers jours, l'infirmière à l'autre bout du fil me dit que, par mesure de sécurité préventive, moi et les enfants devrons prendre des médicaments.

J'écoute les directives de l'infirmière assise en face de moi à propos des médicaments et je prends la prescription qu'elle me tend. Le papier en main, je me dirige aussitôt vers la chambre parce qu'elle m'a aussi dit que je pouvais aller au chevet de Sol. Je cours presque, mais une surprise m'arrête. Je me heurte au protocole des patients en isolation. Je dois porter un masque, une blouse de corps et des gants.

C'est sérieux. Dans la chambre, il y a une infirmière quasi en permanence pour prendre les signes vitaux et plusieurs autres données concernant l'état des organes.

Quant à moi qui ne côtoie jamais les hôpitaux, c'est un réel choc de voir la quantité d'appareils branchés à ma douce. Je cherche les caméras tellement la situation est semblable à ce que l'on voit dans les films. Mon amoureuse est intubée d'un gros tuyau qui lui entre dans la gorge. Son visage est méconnaissable tellement il est enflé. Dans cette chambre à l'ambiance funèbre, on entend une gamme de sons émis par tous ces appareils qui se portent volontaires à sa survie. Bref, je fais la brutale constatation qu'on la maintient en vie.

C'est surréaliste tellement le temps est au ralenti. J'ai l'impression que je suis planté comme un piquet au pied du lit à attendre, comme si Sol devait terminer un rendez-vous de routine et que nous repartirions ensemble. Mais rien ne se passe durant cette période que l'on définit par le mot *présent*. J'ai beaucoup de difficulté à comprendre que rien de positif ne va se passer aujourd'hui même. J'observe le va-et-vient des infirmières. Je n'ai aucune idée de l'heure, tellement je suis déboussolé par ce qui arrive.

Les premières heures dans cette chambre passent très lentement. J'ai la vague impression d'être dans un film que l'on aurait mis sur pause. Je reste immobile pour permettre aux nombreux intervenants de faire leur travail. J'exécute de petits pas pour revenir me planter fixement dans un autre coin de la chambre et ainsi m'assurer de ne pas nuire au travail du personnel soignant.

Chaque fois que l'une des infirmières entre dans la chambre, je tente d'obtenir un regard réconfortant pour m'aider à comprendre. Au fil de l'avant-midi, j'assimile bel et bien que la situation est plus qu'alarmante; elle est *critique*. Je me demande même si les infirmières ont reçu l'ordre de ne pas me parler. L'heure est grave.

Peu avant midi, une infirmière vient me voir pour me dire que le docteur spécialisé en infection veut me rencontrer à quatorze heures pour m'expliquer plus précisément le cas d'infection de Marie-Sol.

Je retourne chez moi me doucher et reprendre mes esprits, en plus de tenter d'analyser la situation qui, pour une raison que j'ignore, est en train de déraper. Seul dans la maison, je tourne en rond. Encore ce questionnement qui occupe sans cesse mon esprit. Qu'est-ce qui nous arrive? Je suis incapable de manger quoi que ce soit et je recommence à tourner en rond.

Je vais et viens dans un brouillard sans fin. Tout à coup, je me sens tellement loin de mon amour que je décide de retourner à l'hôpital pour voir si son état s'est amélioré, même si je ressens au fond de moi que rien n'a changé.

De retour à l'hôpital, je grimpe les escaliers jusqu'à l'étage des soins intensifs. Arrivé à la chambre, j'enfile les gants, le masque et la jaquette. Je me dirige tout de suite au pied du lit où je me plante droit comme un vigile. Je poursuis mes pensées là où je les avais laissées, mais, malheureusement, elles sont de plus en plus sombres en présence de cette dure et cruelle réalité.

Mon amour, ma meilleure amie, la mère de nos enfants est plongée devant moi dans ce profond coma qui la retient prisonnière et dont je suis incapable de la libérer. Je ressens un sentiment d'impuissance intolérable.

En attendant le rendez-vous avec l'infectiologue, j'essaie de recueillir des bribes d'information sur l'état de ses organes vitaux. Je suis comme hypnotisé par les nombreux cadrans et moniteurs qui captent toutes les données dans l'espoir d'y noter un signe d'évolution.

Dans ce dérapage total, je cherche les variations sur les moniteurs et j'attends désespérément d'y percevoir du positif. Les infirmières viennent faire des tests et des prises de sang de façon cyclique et à une fréquence très rapprochée. Je constate, par contre, qu'elles ont toutes le même air inquiet. Leur tournée de vérification des signes vitaux est la seule chose qui me raccroche au temps qui passe.

Après plusieurs rondes, une infirmière me sort de ma torpeur pour me dire que le médecin veut me rencontrer. Je me rends dans la même pièce que ce matin. La docteure est déjà assise d'un côté de la table. Je m'assois donc sur la chaise devant elle.

Elle commence immédiatement par m'exposer que la situation est extrêmement grave. Elle a reçu la confirmation du laboratoire qu'il s'agit bien de la bactérie mangeuse de chair qui cause tous ces dommages.

La bactérie mangeuse de chair!!! Je nage en plein cauchemar.

Les poumons sont déjà très affectés et, maintenant, c'est au tour des reins de flancher. Elle continue de m'expliquer qu'en plus des dégâts que subiront les organes, il faudra sûrement envisager de multiples amputations, voire même une quadruple.

Bactérie mangeuse de chair! J'ai peine à y croire. Je ne peux tout simplement pas y croire!

Dans ma tête, c'est le Big Bang. J'essaie de suivre le médecin tant bien que mal, au rythme de l'information qui, de surcroît, est de plus en plus grave et lourde de conséquences.

Bactérie mangeuse de chair, coma, respirateur artificiel, insuffisance rénale, haute pression, amputation... quadruple amputation. Une scène d'horreur, rien de moins!

Après avoir fait le tour de la situation de la dernière heure et des résultats obtenus en provenance des laboratoires et d'avoir convenu d'une autre rencontre à dix-huit heures, le médecin se lève et quitte la pièce. Je me retrouve à nouveau seul.

Après avoir attendu quelques minutes sans que rien ne se passe, je décide de retourner faire le piquet au pied du lit de Sol. Avant d'entrer dans la chambre, encore une fois, j'enfile gants, jaquette et masque.

Je passe l'après-midi à exécuter en boucle la même chorégraphie qui consiste à rester debout au pied du lit, à me faire petit pour permettre aux infirmières de circuler, à changer de côté pour laisser l'espace libre pour ensuite revenir à ma position de sentinelle.

En fin d'après-midi, une infirmière m'invite à sortir de la chambre puisqu'on doit installer un drain dans ses poumons étant donné qu'ils sont remplis de sécrétion, ce qui l'empêche de respirer par elle-même.

Je m'installe dans la salle d'attente des soins intensifs. Elle est petite et discrète. Les gens qui s'y trouvent sont très tristes puisqu'ils sont ici à cause d'un cas sûrement lourd et critique. Comme moi, ces visiteurs vivent un drame soudain qui touche un de leurs proches. La morosité qui y règne augmente la lourdeur de l'atmosphère. Je m'assois dans un coin et je recommence à ruminer. J'attends. Une bonne heure passe et j'attends encore. Finalement, une infirmière vient me chercher dans la salle d'attente, mais, en entrant dans le département des soins intensifs, elle me dirige vers la salle où les docteurs ont l'habitude de me rencontrer. La salle est vitrée et je vois deux médecins déjà assis à la table. Oh non! Je pense immédiatement que la situation a empiré.

Je rassemble tout le courage qu'il me reste. J'entre dans la salle, précédé de l'infirmière qui quitte presque aussitôt pour me laisser seul avec les docteurs. L'infectiologue m'explique au départ que la bactérie sécrète de nombreuses toxines. C'est pourquoi ils ont dû poser des drains pour vider les poumons.

Mais le plus accablant, c'est qu'ils ont découvert une autre bactérie. Voilà qu'un staphylocoque, en plus du strepto-coque, semble faire un carnage dans les organes vitaux. Les médecins m'expliquent, à mon grand désarroi, que la situation a atteint un degré alarmant et qu'elle ne cesse de dégénérer. Ils continuent toujours de donner tous les antibiotiques nécessaires pour contrer chaque bactérie présente dans le corps de Marie-Sol. Ils m'exposent également les possibilités de ce qui pourrait se passer au courant des prochaines heures.

Après cette rencontre des plus angoissantes, je retourne me poster dans la chambre de ma bien-aimée, au pied de son lit. Ce qui me saute aux yeux est son visage qui est encore plus enflé qu'il y a un peu plus d'une heure. Je ne comprends tou-jours pas. Des scènes d'avant, de maintenant et de l'éventuel après, se bousculent dans ma tête. Je revois Sol à la maison dans notre quotidien et, une fraction de seconde plus tard, elle est dans le coma en direction d'une possible fatalité.

Peu avant minuit, je retrouve un brin de lucidité, car je me rappelle que nos enfants sont encore chez mes parents. Je dois retourner à Nicolet pour m'occuper d'eux. En sortant de la chambre de leur mère, je me dirige vers le poste de garde situé juste en face de la chambre pour demander, en toute naïveté et avec un brin d'utopie, si elle ira mieux demain. J'espère surtout que plus rien n'est à craindre et que le pire est passé. Mais, malheureusement, les infirmières ne peuvent me donner l'espoir tant souhaité. Elles ne peuvent non plus s'avancer sur un hypothétique rétablissement. Toutefois, elles sont toutes très sympathiques à notre cas, ce qui me fait un petit baume au cœur. Je me rattache donc à ce sentiment de confiance que me procure ces personnes compétentes.

Je quitte le poste ayant pour unique réconfort des réponses de politicien. Après avoir fait mes souhaits déchirants à ma beauté, je lui dis bonne nuit et la laisse seule dans la pénombre éclairée par une multitude de petites veilleuses rouges et clignotantes provenant des appareils autour d'elle. Dire que ce matin, nous entrions à l'hôpital ensemble et que j'en repars seul. Très seul.

Le trajet vers Nicolet me semble si long que je me sens, encore une fois, figé dans le temps. Je me sens très amer. Je n'ai d'autre choix que de me concentrer sur le volet explications aux enfants. Comment allais-je m'y prendre pour leur parler de l'état de leur maman? Comment allais-je gérer leurs réactions? Mais, surtout, comment allais-je surmonter ma propre tristesse devant nos fils? J'arrive chez mes parents. J'appréhende ce difficile moment et j'en ai les jambes vacillantes. Je suis envahi par une tristesse infinie.

Je passe la porte. Nos enfants sont couchés et dorment à poings fermés. Quel soulagement! Ça me donne un peu plus de temps pour me préparer à ce que je vais leur dire. Je prends néanmoins le temps d'expliquer la situation à mes parents, inquiets par la seule vision de mon visage déconfit. Ensuite, je prends toute l'énergie qu'il me reste pour téléphoner aux parents de Sol qui habitent Saint-Hyacinthe pour leur apprendre la cruelle nouvelle. Je leur donne rendez-vous tôt le lendemain matin à l'hôpital.

De retour à la maison, avec les enfants, je prends leurs matelas et je monte un quartier général dans le salon. Je ressens le besoin de dormir auprès d'eux, mais surtout, j'ai beaucoup de difficulté à concevoir que je dormirai seul, sans ma belle à mes côtés.

À partir de maintenant, je ne dormirai plus dans notre chambre tant que Sol ne sera pas de retour. J'installe les enfants pour la nuit. Ensommeillés, ils ne posent pas trop de questions. Ludovic me demande comment va sa maman. Incapable de lui avouer le terrible drame, je lui réponds que nous en parlerons au réveil et qu'il doit se rendormir, ce qu'il fait aussitôt.

Ensuite, je descends au sous-sol pour absorber le choc de la journée. Je me retrouve seul et complètement abattu. Je tourne en rond et fais les cent pas. Tout dans ce sous-sol me serre le cœur, car mes pensées me ramènent aux moments où nous travaillions dans la joie. Je fais le tour complet de la maison sans comprendre ce que je cherche. Pour finir, je me retrouve dans un coin du sous-sol à pleurer, sans pouvoir m'arrêter.

Jour 2 - Alin

Très tôt, les garçons me réveillent pour savoir ce qui se passe. Je leur explique donc la triste journée d'hier, sans rien leur cacher, en ajoutant que les professionnels ont la situation bien en main. Les larmes coulent à flot. Je réponds en toute honnêteté à leurs questions angoissées.

Nous pleurons et nous nous serrons dans nos bras un long moment. Une fois ressaisis, je leur dis que nous devons rester forts.

Après un petit-déjeuner sans trop d'appétit, je les reconduis chez mes parents pour qu'ils passent la journée à jouer avec leurs cousins. Je suis content que ma sœur ait eu la bonne idée d'être là pour aider ma mère à distraire les enfants. Je prends ensuite la direction de l'hôpital pour rejoindre les parents de Sol, mais surtout pour vite retourner quérir l'information à propos de son état. J'arrive le premier. À la lumière du peu d'informations que peuvent me fournir les infirmières, je constate que la situation ne s'est pas améliorée et que ça ne va pas mieux.

Avant l'arrivée de mes beaux-parents, j'intercepte un docteur pour lui demander des détails sur l'état de santé de Marie-Sol. Avant même qu'il parle, je sais d'emblée que la journée va être dure. Il m'explique que les reins et les poumons sont vraiment hors fonction et que les bactéries causent des dommages irréparables. Une infirmière vient prendre le relais et me donner les directives en fonction de ce qui va se passer durant l'avant-midi. Je déambule dans le corridor en jetant de temps à autre un coup d'œil à ma douce qui est toujours branchée aux multiples appareils. Je me sens perdu dans cette éternelle attente d'un quelconque signe un tant soit peu positif.

La parenté de Sol arrive. Le cousin, ambulancier de métier, est tout désigné pour effectuer le trajet de Saint-Hyacinthe à Trois-Rivières dans ces conditions dramatiques. Nous nous dirigeons à la chambre avec la permission de l'infirmière. Nous revêtons solennellement le masque, la jaquette et les gants exigés pour entrer dans la chambre. L'émotion est à couper au couteau dans la chambre.

Mes beaux-parents sont démolis... Parents de deux enfants, je peux comprendre la détresse de voir leur enfant dans un tel état. Après avoir versé une quantité monstre de larmes, nous retournons dans la petite salle d'attente des soins intensifs pour continuer de croire que c'est impossible que ce soit la fin. Je leur explique ce que le docteur m'a dit et la suite de la journée. En début d'après-midi, le médecin nous rencontrera pour nous donner un compte-rendu des résultats.

Tout au long de l'avant-midi, nous attendons dans cette pièce exiguë, sachant très bien qu'il n'y aura rien de réjouissant à la fin de cette attente. Une infirmière vient nous dire que nous pouvions retourner voir Marie-Sol, car l'équipe soignante a terminé les prises de sang, toutes les sondes sont également installées et que leur intervention pour l'avant-midi est complétée.

De ce pas, nous retournons la voir, après avoir suivi le protocole réglementaire pour contrer les bactéries. Le père et la mère de Marie-Sol passent un bon moment à lui parler. Nous croyons tellement qu'elle nous entend... Nous nous accrochons tous à cette simple idée pour nous aider à passer au travers de ce dur moment. Nous retournons, parfois, nous morfondre dans la salle d'attente et, dès que le personnel médical nous le permet, nous regagnons la chambre. Bref, nous faisons la navette entre la salle d'attente et la chambre de Sol.

La réunion avec les docteurs arrive finalement; elle se tient toujours dans cette même salle où ont eu lieu toutes les autres rencontres jusqu'à présent. Deux médecins et une infirmière nous y attendent. Il y sera évidemment question du bilan de santé de Marie-Sol. Nous prenons place silencieusement et nous écoutons un long moment les médecins nous expliquer toute la situation.

Après 24 heures, ils ont pu recueillir suffisamment de résultats, à la suite des nombreuses prises de sang et des autres données, pour bien cerner ce cas rarissime. Ils nous exposent ensuite tout un éventail de possibilités advenant un succès, c'est-à-dire, *si elle survit*. Pour la première fois, je réalise comme si je recevais un coup de poignard en plein ventre, qu'elle risque très probablement de mourir. Cette hypothèse planait depuis un moment au-dessus de ma tête. Ce n'était qu'une question de temps avant que mon cerveau veuille l'admettre.

Pour conclure la rencontre, parce qu'aux soins intensifs les soignants sont très occupés et sollicités, ils nous demandent si nous avons des questions. Ils répondent à toutes nos interrogations tout en tentant de nous rassurer du mieux qu'ils le peuvent dans les circonstances. La prochaine rencontre est prévue après le souper, juste après le changement du personnel.

De retour dans la salle d'attente, sans aucun développement positif, nous recommençons à attendre et à espérer. En compagnie de la famille de Sol, nous tentons de passer le temps... J'allais dire *tuer* le temps, mais j'ai décidé de changer le terme, car il y a assez de ces deux saletés de bactéries qui essaient de tuer la femme de ma vie. Impossible de se changer les idées, l'image de Marie-Sol en train de mourir empiète sur toute autre pensée. Le temps est au ralenti. L'attente est très longue, à vrai dire, interminable.

Dans mon coin, assis tranquille, je passe en revue une multitude de souvenirs désordonnés et incohérents, car ils n'ont aucun lien logique les uns avec les autres, hormis l'amour que je ressens pour ma compagne. En aucun temps, je laisse mes pensées inclure nos enfants, car pour le moment, si je pense à eux, je fondrais en larmes. Je dois simplement garder à l'esprit qu'ils sont avec ma mère et qu'ils sont en sécurité.

Une infirmière vient nous sortir de notre mélancolie pour nous signifier qu'il était maintenant possible de nous rendre au chevet de Marie-Sol.

En un éclair, je me précipite vers la chambre. J'enfile machinalement le masque, les gants et la jaquette jaune, synonyme de drapeau alarmant. Je me dirige directement à ma place, au pied du lit, là où j'ai la meilleure vue sur Sol et les écrans. La voir toute enflée, les yeux fermés et intubée m'inflige une douleur indescriptible, un mélange d'impuissance et de détresse. Je ne peux rien faire : seulement espérer. Dans la chambre, un silence chargé d'émotions s'est installé.

Chacun est dans sa tête. Moi, je revis intérieurement des moments heureux vécus en compagnie de Marie-Sol. Mais aussi la fragilité de la vie m'arrache un long soupir... de rage contenue.

Le changement de garde approche, je m'en rends compte puisque l'activité du personnel médical augmente dans la chambre. Ils colligent les données, les signes vitaux, puis nous demandent de quitter la chambre. Les infirmières doivent s'affairer aux changements de literie et effectuer quelques prises de sang. Nous nous dirigeons donc vers la salle d'attente le temps qu'arrive l'heure du rendez-vous avec les docteurs qui nous feront part d'un autre bilan. Encore quelques heures à ronger notre frein... Et, finalement, j'aperçois une infirmière qui nous invite à la suivre dans la salle de réunion.

Tout le monde est assis face aux professionnels de la santé. Ils commencent par nous expliquer encore une fois la situation telle qu'elle est actuellement, car eux aussi sont maintenant dépassés par les événements.

Un des médecins nous explique la situation précise à propos de l'évolution de la bactérie dans l'organisme tandis que le second nous résume les dommages ainsi que les possibilités futures. Étant néophytes dans le domaine des amputations, nous n'avions aucune idée quant à la suite des choses. Nous sommes tous suspendus aux lèvres des médecins pour être certains de comprendre la *bonne* chose et ainsi pouvoir visualiser les options qui s'offriront à Marie-Sol. Mais la situation est tellement critique et se dégrade de façon telle qu'un éventuel futur semble encore bien flou.

Pour conclure cette dernière réunion de la journée, les spécialistes nous expliquent qu'ils vont communiquer avec des confrères de Montréal pour essayer de voir s'il n'existerait pas une autre avenue pour contrer la bactérie. Ils nous disent qu'il n'y a plus rien d'autre à faire que d'attendre et suivre l'évolution de la condition de Marie-Sol. Nous quittons, n'ayant plus de questions.

Mes beaux-parents sont inconsolables. Ils quittent l'hôpital pour retourner à Saint-Hyacinthe.

De mon côté, je n'ai plus qu'une seule chose en tête et c'est de retourner voir mes garçons le plus vite possible. J'ai viscéralement besoin de les avoir près de moi et de reprendre un peu d'énergie simplement en étant près d'eux. Je conduis machinalement en direction de Nicolet avec un vague sentiment de déjà vu puisque la veille, j'empruntais le même itinéraire, dans le même état d'esprit.

Situation semblable à hier; les enfants sont couchés et mes parents attendent mon retour pour entendre les plus récentes nouvelles. Je leur fournis un compte-rendu et par la suite, j'installe rapidement nos fils à moitié endormis dans notre véhicule. Je refais la route en sens inverse et je remonte à Trois-Rivières.

Une fois à l'intérieur de la maison, je les couche dans le quartier général, sans aucune question, car les deux dorment profondément. Seul à nouveau, j'essaie de faire une sorte de ménage pour me changer les esprits. Mais c'est sans succès, parce que chaque mouvement que je fais est difficile et douloureux, tellement il dissimule une réalité trop difficile à vivre! Après une bonne demi-heure à tourner en rond, je décide qu'il ne me reste qu'un seul choix : aller me coucher et me blottir parmi les bulles des rêves de mes deux beaux garçons.

Jour 3 - Alin

Ouf! Six heures du matin arrivent vite. En plus, se pointent plusieurs questions qui se bombardent dans ma tête et cela, avant même l'exécution des protocoles matinaux. Je me remets vite sur le même mode qu'hier et me voilà reparti pour une autre journée remplie de situations imprévisibles, mais toujours avec une lueur d'espoir au cœur. C'est à peine réveillés que nous reprenons tous les trois la route vers la maison de mes parents. Durant le trajet, j'explique la situation aux enfants et, surtout, je tente de les rassurer. Je leur affirme que l'état de santé de leur maman est entre de bonnes mains, mais je pense que j'essaie avant tout de me rassurer moi-même.

Je dépose les enfants et, avant de repartir, je leur fais une chaleureuse accolade. Je réalise que nos câlins sont différents. Ils sont davantage remplis d'émotion, d'inquiétude et de peur. J'essaie de rester calme pour leur envoyer des ondes de confiance et de réconfort parce que jusqu'à maintenant, ils sont restés très discrets face à la situation.

En me rendant à l'hôpital, tel un spectateur, j'assiste au début des activités de la ville. Tout me semble surréaliste, alors que notre vie est en train de basculer. Tout ce qui existe autour de moi continue de vivre normalement. Je ne suis vraiment qu'un grain de sable dans l'Univers. Un électron libre privé de son noyau. Sur ces pensées négatives et ce perpétuel questionnement quant à *pourquoi nous*, je me dirige rapidement vers les soins intensifs. Je prends les escaliers parce que c'est plus rapide et tant qu'à attendre, aussi bien faire de l'exercice.

Arrivé au bon étage, je me dirige vers la chambre. J'effectue le protocole de sécurité contre les bactéries et je me plante au pied du lit. J'attends patiemment que l'on vienne me donner de l'information. Durant ce délai, je scrute partout dans la pièce afin d'identifier ce qui aurait pu changer depuis la veille. J'observe discrètement du coin de l'œil la note au tableau et les moniteurs qui clignotent et transmettent leurs données. Une infirmière m'aperçoit et vient me dire que les médecins vont nous exposer un bilan en début d'après-midi. J'essaie le plus possible d'obtenir des indices pour tenter d'alléger un peu mon panier d'angoisse rempli de crainte, mais encore une fois, elle ne me dit rien. Je ne suis pas aveugle et je peux consciemment distinguer que ça ne va pas bien.

Quelle utopie d'avoir cru qu'en une seule nuit, hop comme par magie, tout serait revenu à la normale! Je peux et je veux continuer d'espérer, car ce qui nous arrive est tellement énorme que ça ne peut être qu'un pénible cauchemar. La journée va être longue. J'attends les parents de Sol en début d'après-midi.

Je passe donc la matinée à simplement regarder ma belle et espérer. Je repasse dans ma tête des scènes vécues avec elle.

Dire que notre vie est tout à coup sur une drôle de pente, à vrai dire, en chute libre n'est pas un euphémisme. Le brouillard dans lequel mon esprit divague se dissipe prestement à la vue d'un docteur qui entre dans la chambre et analyse quelques données laissées par le personnel de nuit. J'en profite pour le questionner un peu. Il m'explique l'approche privilégiée pour combattre la bactérie. Le docteur commence à m'expliquer qu'ils ont noté une perte de vitesse de la progression de la bactérie à la suite de l'absorption des derniers antibiotiques. Devant ma vive réaction d'espoir, il se reprend rapidement en précisant que rien n'est gagné. Il termine en me disant qu'il pourrait mieux tout expliquer lors de la rencontre de l'après-midi.

Midi arrive. Je prends quelques minutes pour aller chercher un sandwich que j'entame machinalement dans la salle d'attente attribuée aux soins intensifs. Je mange uniquement parce mon corps en a besoin, car je n'ai aucun appétit. Après ces quelques bouchées, je retourne me poster devant le lit, puis dans la salle d'attente, lorsque les infirmières doivent procéder à une manœuvre médicale.

J'aperçois la parenté de Marie-Sol qui se joint à moi dans cette éternelle attente. Je fais un récapitulatif de la brève information récoltée depuis leur départ la veille. Puis, un silence pénible s'installe et laisse place à la lourde attente de la prochaine rencontre avec les médecins. L'heure arrive. Suivant le rythme protocolaire, nous nous installons dans cette même salle vitrée qui semble maintenant trop familière. Nous sommes prêts pour le verdict du moment, il ne faut pas que ce soit une sentence.

« Marie-Sol est dans un état extrêmement grave », nous disent-ils d'emblée et rien de rassurant par la suite. Encore une fois, ils nous expliquent l'approche qu'ils ont choisie pour stopper la bactérie ou, du moins, pour en freiner la progression. Ils consultent des collègues de Montréal pour avoir d'autres avis et d'autres conseils pour y parvenir. Déjà leurs discours comportent toujours le mot amputation, incontournable perspective d'un retour à la santé. Les reins ont perdu beaucoup d'efficacité et la dialyse semble obligatoirement requise pour un bon laps de temps, voire même durant toute sa vie. Dans l'échange, plusieurs scénarios sont déjà évoqués quant à un futur hypothétique, puisqu'en premier lieu, il faut s'occuper du présent qui est terriblement préoccupant et déstabilisant.

En discutant avec les médecins, je leur explique à quel point ma chérie aime la vie et que tant qu'il y a de la vie, il y a de l'espoir. Je sais qu'elle se battra pour vivre. Néanmoins, j'ai dû leur mentionner que nous ne voulions pas d'acharnement thérapeutique, car nous en avions justement discuté ensemble, il n'y avait pas si longtemps. Si une telle situation devait se produire, nous avions décidé de ne pas se torturer à sauver l'impossible et, surtout, nous ne voulions ni l'un ni l'autre vivre dans un état végétatif. Jamais, au grand jamais, je n'aurais cru que cette douloureuse question serait évoquée si prématurément dans notre vie.

Après le volet des bactéries, les médecins nous expliquent la situation pour chacun des organes vitaux en débutant par les poumons. Sol présente les symptômes d'une pneumonie sévère et son système respiratoire est infecté par les toxines provenant des bactéries. Ensuite, les reins peinent à suivre pour filtrer ces mêmes substances toxiques qui ont envahi son sang. Si la situation continue ainsi, ses reins risquent de cesser de fonctionner et, par ricochet, de compliquer la tâche pour le rétablissement d'une bonne circulation sanguine. Ce qui nous ramène aux problèmes de nécrosité des membres.

Les docteurs nous expliquent et vulgarisent très bien ce qu'est une nécrose et, surtout, pourquoi les quatre membres de Marie-Sol sont en train de mourir de la sorte. Son corps se défend contre l'agression en préservant en priorité les organes qui la garderont en vie, laissant à l'abandon l'irrigation vitale jusqu'aux extrémités. Les deux docteurs présents s'entendent pour dire qu'ils ignorent à ce stade, où exactement il faudra couper. Les longueurs restantes après les amputations seront à déterminer, mais une chose est certaine : ma jolie n'aura plus de pieds ni de mains!!!

Pour nous aider dans cette épreuve, les médecins nous résument les bons côtés et les points positifs de leur approche quant aux bactéries. Pour clore cette rencontre, nous récapitulons les options tout en tenant compte des valeurs et désirs exprimés jadis par ma belle. Maintenant, il ne reste qu'à attendre encore et laisser évoluer la situation en souhaitant que les médicaments répondent de façon positive. Un des deux docteurs nous redonne rendez-vous en début de soirée pour une autre mise au point. D'autres résultats d'analyse sanguine sont attendus tout au long de la journée. Les deux intensivistes se lèvent et quittent la salle pour retourner vers d'autres patients qui ont, eux aussi, à escalader leur Éverest.

De notre côté, nous restons quelques minutes dans la pièce pour essayer de digérer ce dernier bilan. Chacun y va de sa théorie, de son hypothèse, pour essayer de se rassurer parce que, vraiment là, le bateau tangue vertigineusement dans tous les sens. Je suis assis à écouter les discussions, mais une partie de moi refuse d'entendre que la fin est proche. La mort... j'essaie de fuir ce maudit mot qui flotte dans l'air comme un présage de mauvais augure et qui me heurte profondément. Je m'efforce de ne pas croire à une telle possibilité pour le moment.

Le groupe se divise à la suite d'une nouvelle consigne : nous ne pouvons être plus de deux à la fois auprès de Marie-Sol. Mon beau-père et moi retournons dans la salle pendant que les deux autres se rendent à son chevet. Assis dans la salle d'attente, l'ambiance est lourde, car son père est envahi d'un sentiment accablant. Nous discutons et nous continuons nos spéculations selon les nouvelles données dont on vient de nous faire part. J'attends mon tour de visite avec impatience et aussitôt que j'en ai l'occasion, je retourne dans la chambre, repassant toujours par la séquence de sécurité avant d'y entrer. Je m'installe silencieusement au coin du lit et je replonge dans un monde où les questions sont multipes. On dirait que la fatalité commence à s'installer. Le personnel est un peu plus stressé, le regard des médecins que je croise me semble plus inquiet.

Avec horreur, je constate également que plus le temps avance, plus progresse le bleu qui colore les extrémités de son corps. Tout au long de l'après-midi, les interventions se succèdent encore à un bon rythme. Lorsque nous devons quitter la chambre, nous nous retrouvons dans la salle d'attente à retourner les pièces du casse-tête dans tous les sens, et cela, dans l'unique but de continuellement nous rassurer.

Arrive enfin l'heure de la rencontre de la soirée. Nous nous présentons tous au bureau où deux infirmières attendent à l'entrée. À peine quelques minutes plus tard, arrivent les docteurs. Les salutations sont rapides et nous nous attaquons directement au vif du sujet. Comme d'habitude, l'un des intensivistes nous expose la situation en lien avec les bactéries. Il explique que la mangeuse de chair progresse encore, mais avec un rythme un peu plus lent. Ce soir, ils tenteront un nouveau cocktail d'antibiotiques. Ce sera l'ultime attaque massue ne sachant plus trop de quelle façon affronter cet épouvantable duo de bactéries qui intoxiquent et martyrisent le corps de Marie-Sol.

Selon l'infectiologue, l'étendue des dommages dus au choc septique et à la rapide progression de la bactérie augmentent le taux d'échec d'une réponse suffisamment positive aux antibiotiques pour être significatif. Plus les heures défilent et plus s'accroissent les possibilités d'un éventuel décès. Je me dis alors qu'il faut se croiser les doigts encore plus fort. L'intensiviste présent nous résume l'état de chaque organe vital, l'un après l'autre, en débutant par les plus affectés.

« Ses poumons comportent d'importants épanchements pleuraux, ce qui veut dire qu'il y a beaucoup d'eau qui s'accumule entre la couche extérieure du poumon et la couche intérieure. Nous devons en retirer le plus possible pour aider ses poumons à respirer par eux-mêmes. En attendant que son état général le permette, l'utilisation du respirateur artificiel reste vitale. De plus, il y a forte présence d'opacité parenchymateuse en faveur de phénomènes pneumoniques. » Devant nos airs interloqués, il ajoute: « Ça ressemble à une multitude de fils formant une grande toile d'araignée, obstruant sa respiration rendue difficile par l'importante accumulation de liquide. »

À partir de cette description détaillée de la situation, je saisis bien l'ampleur des obstacles que devront surmonter les poumons de Sol pour reprendre leur autonomie.

Comme si le cas de Marie-Sol n'était pas assez lourd, le médecin garde néanmoins son professionnalisme et nous explique les aspects particuliers concernant ses reins.

« Nous avons détecté, à l'aide de l'imagerie médicale, la présence d'ascite distribuant du liquide en quantité importante en périphérie des reins. Ce qui fort probablement explique l'atteinte rénale de type inflammatoire ou infectieuse. Ses reins ont maintenant complètement cessé de travailler et ont eux aussi besoin d'aide extérieure pour filtrer les toxines. »

Devant l'étendue des dommages, le médecin nous rappelle que si Marie-Sol reste en vie, les répercussions sur ses reins seront importantes et elle devra subir des séances de dialyse, trois fois par semaine, jusqu'à la fin de ses jours. Nous sommes tous assommés; la situation a quelque peu dégénéré. Mais le bilan n'est pas terminé et le docteur poursuit sa tournée des organes vitaux :

« Le cœur tient le coup pour l'instant, mais lui aussi travaille très fort et la pompe démontre de la difficulté à éjecter convenablement le flux sanguin. C'est la raison pour laquelle on observe une telle haute pression dans ses artères. » Il poursuit rapidement, presque pour nous faire oublier la menace réelle que son cœur ne suffise plus à la tâche : « La rate et le foie fonctionnent normalement, même si on note de l'œdème à ce dernier. Le pancréas et le tube digestif ont le volume habituel et les surrénales sont sans particularité. Seule la vésicule biliaire est légèrement dilatée. »

La fin semble encore plus probable et, même si les intensivistes terminent sur une note un peu plus positive, je suis complètement effrayé par un tel bilan catastrophique.

En conclusion, l'équipe médicale promet de mettre tous les efforts nécessaires et les meilleurs spécialistes à leur disposition pour soigner leur patiente.

Par contre, ils se donnent un dernier douze heures pour la sauver puisque, passé ce délai, plus rien ne fonctionnera dans son corps et ils devront la maintenir en vie de façon artificielle. Si la situation continue de se détériorer et qu'il s'avère que la seule solution soit de la garder dans un coma éternel, nous devrons alors débrancher les appareils qui la maintiennent en vie.

Les docteurs se lèvent et quittent la salle. C'est la pire des rencontres jusqu'à présent et aucun signe d'amélioration ne s'est pointé. Nous n'avons même pas évoqué les futures amputations tellement l'heure est grave. Je me sens dériver totalement et j'ai l'impression de me perdre dans ce dédale d'informations dramatiques. Je ne sais plus quoi faire, ni quoi penser. Je cherche un indice dans cet exposé de la dernière chance pour me rassurer, mais en vain.

Les parents de Sol, complètement abattus, reprennent le chemin vers Saint-Hyacinthe et moi vers Nicolet pour aller chercher les garçons. Avant de partir, je retourne dans la chambre, même si je sais qu'il me faut enfiler tout l'équipement de protection sanitaire pour quelques minutes seulement. Je veux lui souhaiter bonne nuit et lui dire combien je l'aime. Je pleure de toute mon âme et je reprends le chemin vers la maison de mes parents encore une fois, seul. En conduisant, j'analyse la situation et vraiment je constate que tout mon monde s'écroule à une vitesse fulgurante. Et curieusement, en même temps, tout s'écroule au ralenti, comme une longue agonie.

Lorsque j'arrive à destination, mes parents m'attendaient déjà depuis un bon moment. Pris dans le tourbillon, j'ai complètement oublié de leur téléphoner dans la soirée pour leur fournir un compte-rendu du dernier bilan. Encore ce soir, les enfants dorment à poings fermés. Je décide de prendre une pause avec mes parents, le temps d'un café, surtout, le temps de leur expliquer de quoi il en retourne à ce point.

Je prends finalement le chemin de notre maison. Je couche les enfants dans le salon et je prends une bouteille de vin que j'apporte au sous-sol. Je m'installe tristement avec une coupe que je partageais, il n'y a pas si longtemps, avec ma meilleure amie. Saoûl de solitude et de chagrin, je téléphone à quelques amis pour leur expliquer la situation et leur annoncer que Sol va mourir. D'un appel à l'autre, je finis par boire toute la bouteille, ce qui m'amène tout droit dans les bras de Morphée, sans même me poser une seule autre question.

Jour 4 - Alin

Cette nuit, elle est venue danser avec moi. Elle était vraiment en beauté et si souriante. À l'oreille, tout doucement, elle me disait : « Je t'aime ».

La réalité est vite venue anéantir mon rêve, mes parents frappent déjà à la porte. Ma sœur les accompagne et ils vont s'occuper des enfants me permettant ainsi d'être auprès de Sol toute la journée.

Avant de partir pour l'hôpital, mon père me prend à part et me dit qu'il sera toujours là pour m'aider. Il me dit de ne pas m'en faire pour la suite des choses et que, quoi qu'il arrive, il m'aidera à traverser cette épreuve. Sur ces mots réconfortants de mon paternel, je me rends ensuite à l'hôpital, la mort de travers dans la gorge. Chaque pas en direction des soins intensifs est douloureux. Je me rattache au simple fait que l'évolution des bactéries est plus lente. J'ai tellement l'impression d'être à la dérive dans cet océan morbide, qu'un cure-dents, à lui seul, pourrait me servir de radeau de sauvetage.

Je monte chaque marche pour me rendre jusqu'au quatrième étage. Je me dirige vers le poste des infirmières pour m'informer de l'état de Sol. L'infirmière responsable me résume très gentiment ce qui s'est passé la nuit précédente. Rien dans son résumé ne me donne un peu d'espoir, à savoir si elle va survivre. Je la remercie quand même et je me rends dans la chambre revêtant auparavant gants, masque et sarrau. Je reprends ma position stationnaire. Je fais le tour des écrans; j'essaie de lire le cartable, mais rien que je comprenne, sauf que son rythme cardiaque et sa pression fonctionnent encore. Je n'en déduis rien, sauf qu'elle est vivante et cette constatation me procure un grand bien. Ce micro signe, aussi minime soit-il, est pour moi positif, même si je fais peut-être une erreur.

Un néphrologue (médecin spécialiste des maladies du rein) entre dans la chambre et m'explique en détail l'état de ses reins. C'est la première fois que je rencontre ce médecin et il ne sait pas qu'en quelques jours, j'ai acquis beaucoup de connaissances à ce sujet.

Même s'il ne m'apprend rien de nouveau, mes bras touchent par terre tellement la situation est dramatique. Avant de repartir, il m'indique qu'il a croisé l'intensiviste de service et qu'il va venir me venir me renseigner davantage sous peu.

Effectivement, j'aperçois le docteur arriver près de la chambre. Le protocole de sécurité est un peu plus simple pour lui que pour moi, car je constate qu'il n'a que le masque à porter ayant déjà revêtu le reste. Il me fait un rapide survol des échantillons qu'il vient d'effectuer et, ensuite, il me donne rendez-vous en début d'après-midi pour ainsi permettre aux parents de Marie-Sol d'être présents à cette rencontre.

Durant tout l'avant-midi, je suis muet devant elle et je regarde Marie-Sol comme si c'était une des dernières fois.

Plus tard, j'arrive à lui parler, mais tout ce que j'arrive à lui dire, c'est « je t'aime » et « ne pars pas, nous avons besoin de toi, les enfants et moi ». Les parents de Sol arrivent, inconsolables et effondrés. Je les mets au courant des dernières informations que j'ai eues en matinée, mais comme dans l'ensemble, rien n'a changé depuis hier, c'est vite fait. En patientant dans la salle d'attente qu'une infirmière vienne nous chercher, nous essayons de discuter de la suite des événements. Le service funèbre, la tombe ou l'incinération, mais tout ce vocabulaire lié à la mort me semble totalement inconcevable tellement je ne peux croire que nous sommes rendus face à une telle possibilité.

Un infirmier vient nous chercher pour nous annoncer que la rencontre commencera bientôt. Nous nous y rendons tous et, cette fois-ci, les médecins sont déjà sur place. L'infectiologue nous résume les quelques analyses qu'elle a reçues ce matin.

« La progression ralentit encore, le cocktail d'antibiotiques a sûrement aidé, mais rien n'est encore gagné, car les toxines sont encore vivement présentes dans l'organisme. »

Elle nous explique aussi l'état des organes vitaux qui sont fortement attaqués. Les possibilités d'éventuelles guérisons, plus ou moins complètes, représentent tout de même la seule faible lueur d'espoir. Je souhaite de toutes mes forces que la rencontre ne tourne pas à la fatalité et que survienne un miracle.

Une infirmière vient interrompre la rencontre pour donner les dernières analyses. Le docteur prend le temps de les regarder ainsi que les résultats des analyses d'échantillons recueillis durant le quart précédent. Puis, il s'arrête et observe avec un intérêt particulier une certaine donnée. Les résultats de l'acide lactique.

« C'est curieux, l'acide lactique présent dans son corps en grande quantité descend tout à coup », nous dit-il. Puis, il nous vulgarise ce que ça signifie :

« L'acide lactique descend pour possiblement deux raisons : soit le corps est mort et que le niveau d'acide descend jusqu'à la fatalité ou soit le corps continue de combattre et qu'il est en train de le faire baisser par lui-même. »

Dans l'état des choses, quel que soit la possibilité d'un renversement de situation, il est impératif de croire en la vie. La solution est simple, nous continuons de croire à un miracle. La contagion de l'unanimité se propage en une fraction de seconde tellement nous voulons tous qu'elle reste en vie. Les docteurs aussi en sont atteints et ils constatent que la conjoncture change et qu'il est possible de continuer d'espérer avec un verre à moitié vide.

Je me rattache à cet acide lactique comme à une bouée de sauvetage. Les docteurs finissent la rencontre en nous fixant un autre rendez-vous le lendemain matin. Ils auront d'autres résultats d'analyse sur l'évolution de l'acide lactique et des possibilités futures. Nous nous croisons les doigts.

En vitesse, je me précipite dans la chambre de Sol pour lui dire la bonne nouvelle et que la situation commence à changer en notre faveur. Je veux surtout lui dire de continuer à se battre, si elle m'entend. La famille de Sol vient me rejoindre au pied du lit, nous pleurons de joie. Nous sommes plus qu'heureux, car nous avons encore gagné du temps et que c'est seulement grâce au temps qu'un revirement de situation peut se produire.

En fin de soirée, j'accompagne les parents de Sol à l'extérieur, jusqu'au stationnement. Ils retournent à Saint-Hyacinthe avec une fin de journée bien différente de celle qui avait été envisagée le matin même. De mon coté, je retourne souhaiter bonne nuit à ma belle. Je remonte à pied les quatre étages et je me rends à sa chambre. J'enfile la tenue requise et je m'installe au pied du lit. En un instant, les vannes s'ouvrent et je me vide de toutes mes larmes.

Je profite de ce moment d'inactivité dans la chambre pour lui dire que je suis fière d'elle et que je souhaite de tout mon cœur qu'elle demeure avec nous, quel que soit ce futur.

Je retourne chercher les enfants parce qu'il est déjà tard. Je discute avec mes parents et leur explique le changement de situation et que l'on peut continuer à croire en la vie.

Les enfants dorment, je les transporte dans la voiture. Ludovic gémit en l'installant sur la banquette arrière. Je lui dis de se rendormir et de continuer à rêver à sa maman. Je le rassure et lui dis que la situation change et que les prochaines semaines seront différentes pour nous.

Les enfants retrouvent leur lit au quartier général et je me réfugie au sous-sol avec une autre bouteille de vin. Je téléphone à tous les amis à qui j'ai parlé la veille et à qui j'annonçais pratiquement le décès de Sol. Je suis tellement content de leur expliquer qu'il y a encore un mini rayon d'espoir et que tout est encore possible. Je me couche le cœur rempli d'espoir, si minime est-il. Quelle puissante émotion!

Jour 5 - Alin

La semaine de relâche est terminée et les enfants doivent réintégrer leur vie scolaire. La situation a dégringolé tellement vite la semaine dernière que peu de gens connaissent les faits dramatiques qui en ont fait partie.

Que nos enfants retournent à l'école tout de suite provoquerait un torrent de *je-ne-sais-quoi*, mais ce que je sais, c'est que ce tourbillon serait trop difficile à gérer pour eux. Je me rends donc à leur école afin d'expliquer la situation au directeur. Je lui demande de garder l'information confidentielle, puis je conduis les garçons chez ma mère. Nous avons besoin de *nous*, simplement. Dans une situation aussi extrême, l'école passe au second rang dans la liste des priorités. Ma mère a pris les arrangements nécessaires auprès de son patron pour s'occuper des enfants durant les prochains jours. Une fois les câlins faits, je retourne vite à l'hôpital.

Je stationne l'auto et je me rends directement aux soins intensifs. En montant les escaliers, je m'aseptise les mains une ou deux fois. Avant de passer la porte, j'exécute le protocole obligatoire pour me rendre dans une chambre en isolation. Le rideau est ouvert, je peux entrer. Je reprends ma position au pied du lit. Une certaine routine dont je me passerais bien volontiers. Ce serait tellement plus agréable de partager un bon repas avec ma bien-aimée et d'échanger des idées quant à l'avenir.

J'analyse le corps de Sol de la tête aux pieds. Je me risque même à regarder sous les pansements pour voir la couleur de ses membres. Rien de positif de ce côté, ils sont bleu foncé. J'essaie de comprendre les notes sur le cartable, rien de concluant. Un nouvel intensiviste arrive. Il vient se présenter, car c'est lui qui sera de garde cette semaine et qui prendra soin de Marie-Sol au cours des prochains jours.

Il me résume la situation présente et il m'expose les résultats des analyses de la nuit dernière.

« Son état est toujours stable, mais avec un degré de danger élevé parce que plusieurs organes vitaux sont touchés », m'explique-t-il. Il poursuit, en me gardant bien dans l'instant présent et en enchaînant avec le programme de la journée.

« Il y aura de la dialyse, des radiographies des poumons, puis nous ferons une culture sur les membres. »

En terminant son bilan, un préposé arrive pour le changement de literie et la désinfection de la chambre. Je profite de ce moment pour aller prendre une bouchée. Lorsque je remonte, il m'est impossible d'entrer dans la chambre, le rideau est fermé. Je dois retourner dans la salle d'attente pour je ne sais combien temps; l'attente peut durer entre trente minutes et deux heures.

Soudainement, je me réveille en sursaut sur la banquette de la salle d'attente où je me suis endormi. Vite, en direction de la chambre où le rideau est ouvert. Je peux retourner à mon poste de garde, de méditation, d'introspection, tellement j'y passe du temps à attendre. La journée s'écoule au ralenti sans changement particulier, seulement l'attente. Le docteur viendra me voir en soirée et, patiemment, j'attends. Vraiment, le temps est long quand il faut vivre chaque seconde avec une angoisse qui repose sur le hasard sans avoir de contrôle sur le résultat, comme jouer à pile ou face. La seule chose qui est tangible et à laquelle je me rattache, c'est que ma beauté est encore en vie, et ce, même au-delà du compte à rebours estimé par les médecins, il y a à peine deux jours.

Je me suis rendu dans la même pièce où se sont tenues toutes les autres rencontres et, une fois de plus, j'attends l'arrivée du docteur. Ils sont deux; je reconnais l'infectiologue et l'intensiviste. Nous sommes que tous les trois assis dans un espace plutôt restreint, ce qui donne un air de confidence et de réconfort à la rencontre. D'entrée de jeu, l'infectiologue m'explique que les bactéries commencent à être sous contrôle. La combinaison d'antibiotiques fait effet et limite la production de toxines.

Après le volet des bactéries, ils enchaînent avec une autre explication des dégâts causés aux organes touchés. Les poumons : deux drains sont installés pour aider à éliminer les liquides accumulés. Quant aux séquelles et à la période de temps qu'elle devra être branchée sur un respirateur artificiel, il était beaucoup trop tôt pour affirmer quoi que ce soit. Les reins eux, on le sait, ne filtrent plus. La dialyse empêche que son corps soit intoxiqué. Il faut envisager la possibilité d'une greffe d'organe et trouver éventuellement un donneur compatible. Ce ne sera pas une tâche facile puisque le groupe sanguin de Marie-Sol est de type O négatif et ce groupe ne peut recevoir que des organes appartenant au même groupe.

La liste d'attente pour une greffe de reins est déjà longue pour les gens qui sont de d'autres groupes sanguins plus communs que le sien. Avec un minimum de chance, ses reins pourraient fonctionner à nouveau moyennant de la dialyse à vie. Avec toute la chance possible, elle pourrait s'en tirer avec une simple insuffisance rénale sans dialyse, mais avec une prise de médicaments spécifiques et d'un régime alimentaire strict.

Ouf!!! Le bilan est déjà assommant et nous n'avons même pas parlé du volet des membres. Il fallait que j'y pense pour qu'il aborde le sujet des nécroses. Il est encore trop tôt pour déterminer où les amputations auront lieu, aux poignets ou aux avant-bras. Une chose est quasi certaine, Sol pourra conserver ses coudes.

Il reste néanmoins beaucoup d'eau à couler sous les ponts avant d'obtenir une confirmation. La discussion est lourde et surréaliste.

Quant à l'éventualité de l'endroit où ses membres seront coupés, j'ai la terrifiante impression d'être en train de jaser boucherie dans le cadre d'un film d'horreur.

La seule chose que j'ai en tête, c'est que si cette coupe est inévitable, d'en couper le moins possible.

Le même processus s'applique aux jambes et la discussion au sujet du dépeçage dure encore dix minutes. C'est très dur à supporter pour moi qui ai toujours été effrayé par la vulnérabilité du corps humain.

Après avoir fait le tour de la situation en cours, les spécialistes m'expliquent un plan de match approximatif pour la semaine suivante. J'ai un petit vertige en entendant *le plan de la prochaine semaine.* Je constate que nous sommes prisonniers de cet hôpital pour un bon laps de temps.

On m'explique ensuite qu'on va laisser aller la régénération naturelle de la peau de Marie-Sol, question de voir s'il y aura une revascularisation des tissus. De cette façon, la *ligne de coupe* pourrait reculer afin de garder le plus d'articulations possible, mais aussi d'avoir assez de peau pour refermer les moignons.

La rencontre se termine en m'exposant les raisons probables quant à la survie de Sol. Son alimentation, son poids, son âge et sa forme physique lui auront sauvé la vie.

J'ai l'impression que le médecin cherche à me rassurer, car si rien n'est vraiment gagné, au moins nous commençons à voir une lumière au bout du tunnel. Juste avant de partir, un des docteurs me dit :

« J'ai oublié de vous mentionner qu'à partir de maintenant, nous cesserons de lui administrer le médicament qui provoque le coma artificiel. Donc, elle peut se réveiller dans une douzaine d'heures et ça peut même aller jusqu'à quelques semaines avant qu'elle ouvre les yeux. Seul le temps nous le dira. »

Je retourne à la maison le cœur déjà plus léger qu'hier. Je vais revoir bientôt les beaux yeux bleus si expressifs de ma belle. Ce soir, je passe chercher les enfants comme à l'habitude, mais à la différence près que mes larmes sont des larmes de joie et d'espoir.

⪦ LE RÉVEIL ⪧

Jour 6 - Marie-Sol

J'ai chaud.

Je me sens mal. Je suis horriblement faible. Je n'arrive pas à bouger, pas même ma tête. Une terreur sans nom m'envahit. J'ai un tube pris dans la gorge! Je suis encore à l'hôpital et à l'évidence, ça ne va pas mieux.

Un violent pincement me serre soudainement le cœur : où est mon amour?

Je suis en plein cauchemar, ça ne peut faire autrement. Je vais me réveiller dans un autre état moins pire que celui-là, j'en suis certaine. Je dois sûrement être en train de rêver. Je referme mes paupières, seuls minuscules muscles que je peux bouger, libérant ainsi deux chaudes larmes qui, avec une rapidité surprenante, coulent le long de mes joues. Je me laisse aller dans l'inconscience sachant pertinemment que c'est une simple question de temps avant d'ouvrir les yeux et que mon regard rencontre le sien...

J'ai tellement chaud et j'ai la gorge en feu.

Je reprends graduellement conscience en m'extirpant de force de cet état de larve. Les yeux fermés d'abord, j'analyse la situation. D'après les sons étouffés qui me parviennent de la réalité, je comprends que je suis dans le même cauchemar. J'ai toujours la bouche refermée autour d'un gros tube qui prend toute la place jusque dans ma gorge. C'est vraiment très pénible comme sensation. Je respire grâce à cet appareil. J'ai peur.

Je cherche à bouger mes pieds, aucune réponse. Je répète l'effort dans l'effroi le plus total. Aucune réponse de mes jambes. Trop faible et envahie par l'émotion, je me réfugie dans un sommeil profond et troublé.

Bip...bip...bip...bip...bip...

Les sons stridents qui m'entourent percent les couches de mon inconscient et m'arrachent à mes rêves.

Cette fois, j'ouvre les yeux, mue par cette forte intuition que je verrai bientôt mon Alin. Mais les premières choses que je peux voir en ouvrant les yeux, c'est l'énorme tube qui est introduit dans ma gorge et mes quatre membres emballés.

Je suis bel et bien dans un lit d'hôpital. Je comprends facilement la raison pour laquelle je suis branchée à un respirateur, mais je ne comprends absolument pas pour quelle raison mes bras et mes jambes sont emmitouflées dans de grands bandages. Je ne suis pas capable de bouger quoi que ce soit à part mes yeux. Je vois la chambre autour de moi. Malgré la pénombre, j'aperçois des affiches sur le mur d'en face et il y a tous ces appareils autour de mon lit. Je sens aussi des lumières en arrière de moi qui clignotent et j'entends les sons de plus en plus clairement.

[Alin]

Je me réveille différemment ce matin. L'espoir est bien présent et je sens enfin que la journée peut apporter un vent de fraîcheur. Après les intenses émotions des derniers jours, je suis complètement exténué. Je reconduis les garçons chez mes parents puis, avant de retourner à l'hôpital, je décide de m'accorder une courte pause. Je reviens à la maison pour me doucher et peut-être même manger, si j'y arrive. Tout à coup, j'entends la sonnerie du téléphone. Mon cœur s'emballe. J'espère que rien de grave n'est arrivé, car depuis six jours, quand le téléphone sonne, je pense toujours au pire.

Je prends vivement le combiné :

– Allo?

– Monsieur Robert?, me dit une dame d'un ton de voix enthousiaste. Je vous appelle pour vous annoncer une bonne nouvelle : votre conjointe vient d'ouvrir les yeux!

– Oh! Wow! Merci beaucoup, dites-lui que j'arrive tout de suite!

Je prends immédiatement la route tout en continuant de m'habiller. Ce n'est pas tous les jours que la personne aimée sort d'un coma! Je roule un peu plus vite qu'à l'habitude, mais toujours prudemment.

Dans le stationnement de l'hôpital, je lorgne de l'œil les espaces réservés aux personnes handicapées parce qu'ils sont plus proches de l'entrée et aussi parce que de toute évidence, un jour, nous allons malheureusement bénéficier de cette vignette. Mais bon, je me stationne un peu plus loin et, au pas de course, je me dirige vers l'entrée.

Je monte les marches deux par deux. J'arrive en trombe. Les trois étapes d'hygiène à l'entrée s'effectuent en claquant des doigts. Aussitôt entré dans la chambre, une seule chose compte : voir ses beaux yeux bleus.

Les voilà... j'ai tellement de choses à te dire mon amour... je t'aime.

[Marie-Sol]

Il est là. J'avais justement la sensation qu'il y avait de l'activité tout près. J'ai attendu que les sons et les jeux de lumière provoqués par des mouvements se matérialisent à l'intérieur de mon champ de vision restreint.

Et, tout à coup, comme si j'avais été transpercée par un coup foudroyant, tout l'amour et toute la tristesse du monde se sont liquéfiés instantanément dans mes veines. La vue de son visage complètement démoli, malgré la joie de me voir ouvrir les yeux, me transporte dans une mer d'émotions extrêmement intense.

– *Je t'aime!* C'est ce que je veux lui dire! Mais il n'y a qu'un grognement sourd qui provient de ma gorge. Je pleure, il pleure. J'essaie de comprendre ce qui m'arrive. Mon chéri essaie de me parler, j'ai de la difficulté à suivre. Je suis d'une tristesse accablante et, paradoxalement, je suis profondément heureuse de le voir. Je tente de lui sourire pour qu'il ne s'inquiète pas trop. Il sourit, nous rions, nous pleurons à nouveau. Il me dit, entre ses sanglots retenus, que j'ai failli mourir. Moi? Mourir?

C'est comme une explosion dans ma tête. Je ne peux pas mourir! Je ne veux pas mourir, pas à mon âge! J'ai toujours été convaincue que je trépasserais à un âge avancé, une belle petite femme ridée avec de longs cheveux gris. Aussi sournoisement qu'une lame d'épée bien aiguisée, je pense tout à coup à nos garçons et leur image dans ma tête me fend le cœur. J'ai l'âme complètement en peine juste à effleurer l'idée que j'aurais pu les quitter. Nous pleurons encore un long moment. Alin embrasse mon front, mais il ne peut me tenir la main pour me réconforter.

Mes mains.

Nous essayons de nous comprendre, je m'efforce de faire parler mes yeux...

– J'ai une idée, me dit-il soudainement. On va établir un code pour communiquer. Un clignement des yeux veut dire oui et deux clignements consécutifs veulent dire non.

J'enregistre sa méthode : oui, un clignement, non, deux clignements. Surtout, je ne veux pas me tromper, car nous pourrions nous retrouver bien mêlés ! Puis, avec un amour d'une grande intensité, mon Alin me déclare spontanément :

– Veux-tu te marier avec moi?

Vite! Un clignement des paupières. Juste un! Je me force de garder les yeux ouverts assez longtemps pour sceller la réponse. Puis, nos rires et sourires figent ce doux moment dans l'espace-temps. Le moment s'étire et un petit doute s'installe; m'a-t-il bien compris?

– *Oui, je le veux!* Devinant mon questionnement, il me pose aussitôt une banale question qui résulte sans contredit d'une réponse par la négative. Deux clignements. Le code est bien compris. Confirmation faite, il s'exclame :

– On va se marier!

Puis, calmement, il me dit que pour le moment, je dois me reposer pour me renforcir et qu'il m'aime plus que tout.

Je dors, je me réveille et il est toujours là à me regarder tendrement. Je me rendors avec le réconfort de son amour. Le temps passe, mais j'en ai à peine conscience. J'ai l'impression de surfer entre les mondes de mon subconscient et les couches étranges de la réalité. Je me sens toujours aussi mal. J'ai vraiment très chaud et la gorge me fait tellement souffrir. Mais je sais que mon bien-aimé sera toujours là à mes côtés. Il ne me reste qu'à faire preuve de patience et d'aller mieux.

J'ai vaguement conscience qu'Alin doit repartir. Je replonge aussitôt dans un lointain sommeil envahi d'indéfinissables rêves.

[Alin]

Elle dort, un bisou sur le front et je dois la quitter pour aller chercher les garçons. Sur le chemin du retour, je suis plongé dans mes pensées. Ouf, quelle belle journée! Il fait un soleil radieux dans mon cœur, ce soir, malgré la grisaille extérieure. Je suis épuisé de m'être baigné dans de si beaux yeux bleus. Nous avons passé des heures à nous regarder dans les yeux sans nous parler, laissant couler nos larmes pour exprimer l'indéfectible amour que nous ressentons l'un envers l'autre.

Continue mon cœur, tu es vraiment une battante. Je suis si fier de toi.

[Marie-Sol]

Je me réveille à nouveau, et j'ai l'impression que c'est la nuit. Alin n'est plus là, je sais qu'il est avec nos enfants et ça me rassure. J'ai terriblement chaud et je donnerais n'importe quoi pour boire un grand verre d'eau. Je ne fais plus la différence entre la transpiration et les larmes. Je me sens si perdue, si loin de tout ce qui m'est cher, si loin de ma vie.

Les sons paraissent toujours amplifiés la nuit, mais là où je me trouve, il me semble qu'il y a plus d'activités que durant la journée. J'entends des cloches, des gens qui parlent, des téléphones qui sonnent et j'aperçois même du coin de l'œil des infirmiers qui courent. Je dois être près des ambulances, dans une sorte d'urgence, car je viens de voir un ambulancier remplir un rapport. Je dirige mon regard à l'opposé et je remarque à travers la fenêtre que la pluie s'est mise de la partie. Mais pourquoi est-ce que je ne vois pas de véhicules? J'ai pourtant la forte impression d'être tout près du garage par lequel je suis arrivée et, même si je sais que je suis à l'hôpital, je me sens totalement désorientée.

Une infirmière s'approche de moi. On dirait qu'elle prend des notes sur une tablette. J'ai l'impression d'être un fantôme tant elle est occupée et qu'il m'est impossible d'entrer en contact avec elle. J'abandonne donc la terrible réalité pour trouver refuge à l'endroit qui me semble être le plus rassurant en ce moment et je sombre instantanément dans un sécurisant sommeil.

Même dans mes rêves, j'ai extrêmement chaud! Je ne sais plus si je suis dans la réalité ou dans un délire fiévreux, car tout ce qui accapare mon esprit est cette chaleur cent fois plus pénible à supporter que la pire des canicules.

Tout à coup, je suis transportée sur un nuage tout froid, glacé même. Saisie par ce soudain changement de température, je jubile de bonheur! J'ai un lit tout froid et climatisé juste pour moi, comme ça me fait du bien!

Jour 7 - Marie-Sol

Ai-je vraiment dormi? Je me sens toujours aussi extrêmement fatiguée. Étrangement, je n'ai mal nulle part, je n'ai qu'une soif insatiable. Et cette chaleur! Il me semble pourtant que j'avais un lit climatisé cette nuit... Ce n'était sûrement qu'un rêve! Le soleil se lève au ralenti, je n'ai aucune idée de l'heure, mais je sais que mon amour viendra me retrouver dès qu'il le pourra.

Je suis clouée à mon lit. Parfois, on bouge mon corps engourdi pour des radiographies ou pour changer les immenses bandages. Je me sens assommée par ce qui m'arrive. Même si tout ce que je peux faire c'est réfléchir, je peux à peine y arriver, car rapidement, je suis prise dans un tourbillon vertigineux. Bon dieu! Je ne vis que dans l'attente de revoir mon Alin, je sais qu'il m'expliquera tout et qu'il devinera mes pensées.

[Alin]

J'arrive tôt le matin à la chambre de mon amour, mais le rideau est tiré et je dois attendre. On est en train de radiographier ses poumons. Pour patienter un peu, je vais dans la salle d'attente boire un café. Une gentille infirmière vient me dire que je peux venir rejoindre Sol. À première vue, je sais tout de suite qu'elle est fatiguée, mais elle continue quand même de faire ses si beaux sourires.

Je fais le moulin à paroles tout l'avant-midi. Je lui explique la situation, lui parle des enfants; parfois, elle s'endort pendant que je parle. Je continue quand même mon soliloque, car lorsqu'elle se réveille, elle essaie de suivre où je suis rendu.

Dans l'après-midi, c'est la dialyse et la rencontre avec le docteur. Il nous dit que les signes vitaux vont bien et que les résultats d'analyse continuent d'aller dans la bonne voie. C'est la première fois réellement que le docteur nous explique la situation en lien avec les amputations, en présence de Sol.

Il passe chaque membre en revue considérant les possibilités de sauver des tissus sains. Il est trop tôt pour définir où se fera la ligne de coupe. Il nous rassure en nous disant qu'ils feront tout ce qui est en leur pouvoir pour en sauver le plus long possible et le plus d'articulations.

Puis, il aborde un point d'intérêt dans l'instant présent : le respirateur artificiel. Il est primordial de le conserver encore quelques jours, question de sécuriser la situation. Ses poumons sont encore dans un très mauvais état et il est de mise d'éviter de l'affaiblir davantage en l'extubant trop rapidement. Aussi, elle est dépendante de la machine à hémofiltration et plusieurs solutés sont branchés à son corps.

La tempête n'est pas encore finie, mais le vent commence à diminuer d'intensité.

Jour 8 - Marie-Sol

La nuit, c'est vraiment très difficile. J'ai affreusement chaud. Je vais finir par mourir de chaleur. J'ai tellement chaud, je suis littéralement emballée dans d'épais bandages semblables à un habit de neige! Le respirateur fixé à ma bouche est aussi très inconfortable. Que je me sens mal! Je cherche désespérément à croiser le regard d'une infirmière, je dois dans l'urgence être refroidie. J'ai besoin du lit climatisé! Je les vois qui marchent devant ma chambre, mais personne n'y entre. Au secours, j'ai trop chaud! Je supplie mes anges gardiens de m'envoyer de l'aide.

Quelqu'un s'approche finalement de moi. C'est un jeune homme et lorsqu'il voit que je le regarde, il se présente gentiment. C'est un technicien des tuyaux fixés au respirateur et il vient s'assurer que tout fonctionne normalement. Avec son uniforme bleu foncé et les gestes qu'il exécute, je le confonds avec un plombier.

Je tente par tous les moyens de lui faire savoir que j'ai besoin d'aide, que je suffoque de chaleur. Mes yeux doivent refléter ma détresse, car il me dit qu'il va aller chercher mon infirmière. Je pleure de soulagement, quelqu'un m'a enfin comprise!

Il revient rapidement avec l'infirmière qui me demande si j'ai froid, si je veux une couverture.

- *Nooooon!*

C'est si difficile de se faire comprendre sans la parole ni les mains pour mimer des indices. Je dois avoir un visage très expressif, car elle a tout de suite compris que ce n'est pas ce dont j'ai besoin. Peut-être que l'infirmière a remarqué les grosses gouttes perler par les pores de ma peau, mais heureusement, elle comprend rapidement que j'ai trop chaud. Elle prend une débarbouillette qu'elle passe à l'eau froide, puis la place sur mon front. Mon être tout entier est reconnaissant même si ce n'est pas le lit climatisé espéré... Merci mon plombier, merci mon infirmière, merci mes anges gardiens!

Jour 9 - Marie-Sol

J'aimerais tant boire un grand verre d'eau glacé. J'ai soif, ma bouche desséchée reste continuellement ouverte parce qu'il y a un tube géant qui est coincé à l'intérieur. De plus, j'ai toujours ce goût infect dans la gorge et je me revois en train de vomir cet acide vert fluorescent. Nauséeuse, je regarde cette grosse machine qui me permet de vivre. C'est vraiment trop horrible de respirer de cette façon, mais au moins, je vis! J'ai néanmoins extrêmement hâte d'en être délestée. Mieux vaut dormir. Qui sait, je vais peut-être rêver que je bois un bon grand verre d'eau froide?

Dans ma chambre, il n'y a pas d'horloge et je n'ai aucun indice du temps qui passe, à part une fenêtre. Dehors, il fait nuit, mais je suis sous l'impression que le jour va bientôt se lever. J'essaie de dormir un peu entre les visites du personnel médical, mais les bruits provenant du corridor sont irréguliers et me réveillent chaque fois que l'ambiance passe de silencieuse à très bruyante. Parfois, c'est le calme total, puis une sonnerie stridente résonne au point de me faire sursauter.

Une équipe de quatre soignants entre avec un chariot rempli de matériel. Ils viennent procéder aux changements des pansements. Je suis comme paralysée, lourde et sans force. Pendant qu'une équipe tient en position surélevée un de mes membres, l'autre prend soin de nettoyer et de remballer. Je regarde les terribles dégâts sans trop m'attarder aux conséquences. Heureusement, les médicaments et le sommeil me gardent dans un état léthargique.

L'escouade médicale travaille rapidement et consciencieusement. Ils sont aussi très gentils et attentionnés, attitude que j'apprécie beaucoup puisqu'on doit inévitablement me brasser pour faire le tour des plaies. Je constate que je ne sens pas vraiment mon corps lorsque je suis couchée sur le dos, mais c'est très différent lorsqu'on doit me bouger. Des douleurs profondes et incisives me traversent le corps. Heureusement, quand ils me replacent dans ma position initiale, mes souffrances diminuent pour ensuite se métamorphoser en engourdissement généralisé. Il me semble que j'ai des plaies partout. J'ai peur qu'il ne reste aucun endroit sur mon corps qui n'ait été épargné. Une fois que les pansements ont été changés, la troupe repart aussi énergiquement qu'à son arrivée.

Le soleil s'est levé, il reste peu d'heures avant qu'Alin arrive. Je pense dormir un peu en l'attendant, mais des soignants arrivent, trimballant un gros appareil. Encore du brasse-camarade douloureux pendant qu'ils effectuent des radiographies de mes poumons. J'aide du mieux que je le peux en souriant pour les remercier. Nos poumons sont des organes vitaux et je suis reconnaissante qu'ils tentent de les sauver.

À peine quelques minutes après le départ de l'équipe de radiologie arrive une jeune femme en tenue civile et un médecin que j'ai déjà aperçu un peu plus tôt. L'homme se dirige vers mon dossier pour y prendre les données de la nuit, tandis que la dame se présente à moi et m'explique qu'elle est physiothérapeute. Elle est ici pour faire bouger mes membres. Devant mes petits yeux rougis de fatigue, elle me rassure aussitôt en me disant que pour l'instant, c'est elle qui va forcer. Je la laisse volontiers faire son travail puisque je suis la première à vouloir bouger un jour. Très lentement, elle soulève un bras emmitouflé, puis l'autre d'à peine quelques centimètres. Avec un peu plus d'effort, autant pour elle que pour moi, elle soulève ensuite mes jambes emballées de quelques centimètres. Ouais... ça va être long avant que je puisse m'asseoir!

[Alin]

Dès mon arrivée à l'hôpital, je me précipite vers sa chambre. Elle me sourit dès qu'elle m'aperçoit. Son visage a beaucoup désenflé et ses signes vitaux vont dans la bonne direction. Son état commence à se stabiliser. La bonne nouvelle aujourd'hui c'est que Sol a toute sa tête et que, pour l'instant, elle n'a aucune séquelle au cerveau. Les résultats des analyses sont positifs. Je me félicite d'avoir opté pour le verre à moitié plein.

Il reste beaucoup de chemin à parcourir, mais nous y allons une étape à la fois. Je la regarde, complètement immobilisée en raison de toutes ses blessures, branchée à toutes sortes de solutés et respirant grâce à un appareil. C'est extrêmement difficile de la voir ainsi et sa condition me brise le cœur en mille miettes. Elle me regarde à son tour en me souriant. Une chose est certaine, aujourd'hui, je suis encore plus convaincu qu'elle est une battante et qu'elle est mon idole pour le reste de ma vie.

Je regagne le quartier général avec les garçons et nous passons la soirée ensemble, en souhaitant la guérison de leur maman de tout notre cœur. Et ce n'est que lorsque je me retrouve seul dans notre sous-sol que je me questionne sur tout ce qui nous arrive. Le plus difficile, je crois, c'est de ne pas avoir de réponse à la question : *POURQUOI?*

[Marie-Sol]

En soirée, j'écoute les conversations provenant du corridor. On dirait qu'il y a une tension parmi les membres du personnel.

En fait, je ne sais pas si c'est mon imagination ou le manque d'occupation, mais j'ai l'impression de suivre une dispute entre une jeune infirmière et un ambulancier. Ils ont l'air de se connaître et d'être plutôt intimes. Peut-être même en couple? Je ne sais pas, c'est comme écouter une émission de télé-réalité sans connaître les personnages ni voir l'image.

La même jeune fille entre dans ma chambre avec une collègue. Elles commencent à défaire les pansements puis, au beau milieu de l'intervention, l'infirmière en question quitte promptement la chambre. Je comprends que c'est elle qui est en contrôle de cette intervention puisque l'autre arrête de travailler et sort aussi de la chambre. Elles sont tout près dans le corridor d'où je perçois des sanglots. Je suis décontenancée et triste, car il me semble que c'est moi qui suis dans une bien pire situation! Le temps est long et les secondes s'écoulent au compte-gouttes. Je ne peux m'empêcher de regarder mes jambes qui sont restées dans l'intervalle à l'air libre...

Misère de misère! Je veux qu'on revienne refaire les pansements. Je ne veux pas voir ces hideuses plaies un instant de plus. On dirait que j'ai été entendue, car une des deux revient accompagnée d'une autre infirmière. Elles me disent que ce ne sera pas long, que mon infirmière va revenir. Je l'espère bien! Après un très long moment qui semble durer une éternité, finalement, elle revient compléter son travail. Celles qui l'attendaient n'ont pas l'air de remarquer ses larmes qui coulent discrètement et le petit groupe reprend calmement leur besogne.

Un doute surgit à l'instant. Et si je m'étais trompée? Et si elle pleurait parce que le spectacle de mes membres mortifiés était trop infâme?

Jour 10 - Marie-Sol

Je me réveille mal. J'ai encore excessivement chaud! L'habituelle débarbouillette sur mon front est aussi chaude qu'une bouillotte. J'ai l'impression d'être une source de chaleur complètement déréglée et que si on ne ferme pas le commutateur rapidement, je vais exploser! J'attends des heures dans cet état très inconfortable avant que quelqu'un passe rafraîchir mon front.

Durant le jour, j'ai la chance d'avoir mon amoureux près de moi qui se préoccupe de mon confort aux quinze minutes. Quand il n'est pas là, c'est l'infirmière de garde qui s'en charge. Malgré son boulot, elle entre dans la chambre et, après quelques vérifications, elle passe une lingette d'eau froide sur mon visage.

Aussitôt l'infirmière repartie, je sens déjà que l'eau fraîche contenue dans la lingette s'est évaporée. Trop rapidement, je retombe dans un total inconfort. Je n'arrive pas à dormir et mes yeux fixent le mur devant moi. Il y a des affiches que je n'ai toujours pas réussi à déchiffrer et qui, inopinément, se perdent dans un brouillard.

J'ai tellement chaud que je perçois de la vapeur qui monte du plancher telle une épaisse brume. Je suis certaine que c'est moi qui produis cette fumée chargée d'eau. Toute l'eau contenue dans mon corps s'évapore et on dirait qu'elle monte de plus en plus haut, à un point tel où je me dis que si personne n'intervient, l'avertisseur de fumée va bientôt déclencher une alarme.

Pourtant, malgré l'urgence de la situation, du personnel va et vient dans la pièce sans rien remarquer... sinon que la fièvre de la patiente est légèrement élevée, même si elle reçoit déjà une forte médication.

[Alin]

La journée avance apportant de bonnes nouvelles. Sol reprend du mieux, même si elle a l'air d'avoir très chaud. Les traitements d'hémodialyse semblent lui apporter un peu de vigueur et ses signes vitaux sont stables. Le médecin pense même pouvoir l'extuber au cours des prochains jours. J'ai bien hâte parce qu'ainsi elle pourra verbaliser ses pensées. Dire qu'il y a une semaine, la situation était si différente.

Cette semaine, nous devrons affronter d'autres grosses étapes dont le volet amputation, mais il vaut mieux considérer qu'une seule chose à la fois !

Jour 11 - Marie-Sol

J'ai toujours ce satané tube dans la gorge, mais il y a une pointe d'espoir; on nous dit que bientôt, si mon état le permet, que je serai extubée. Ce mot que je ne connaissais même pas auparavant devient pratiquement mon leitmotiv. Je ne vis que pour ce moment de pure délivrance. Je souris chaque fois que je vois un médecin ou une infirmière. Je suis certaine que s'ils me voient souriante, ils penseront que je vais mieux et que je suis prête à respirer par moi-même.

Mais avant d'être rendue à cette étape primordiale, on m'informe qu'aujourd'hui, on va m'amener au bloc opératoire. Les soignants veulent examiner mes nombreuses plaies et que, pour ne pas me faire souffrir inutilement, je serai anesthésiée.

J'ai à peine le temps de constater que je m'en vais sur la table d'opération avant d'avoir vu mon amoureux, qu'une équipe roule mon lit dans le corridor. Les portes défilent de chaque côté du lit et, malgré le voyage en haute vitesse, je reconnais le personnel qui prend si bien soin de moi. Je souris du mieux que je le peux, en guise de reconnaissance, tout en combattant intérieurement le stress grandissant d'une imminente anesthésie.

Deux ou trois coins de corridor plus tard, nous arrivons en chirurgie. Après un dernier pivot, nous traversons un grand corridor très lumineux. Il y a de grandes fenêtres sur tout un pan de mur et de l'autre côté, des salles de chirurgie impeccables. Mon lit fait une dernière rotation pour entrer dans cet univers d'une luminosité artificielle aveuglante. Il y a soudainement beaucoup de gens autour de moi. Ils sont tous vêtus de leur uniforme vert, leur masque bien en place et ils portent tous des gants chirurgicaux. Ils s'activent frénétiquement attendant l'anesthésiste pour commencer.

« C'est impressionnant n'est-ce pas?, me dit une grande docteure. Ça va bien aller, me rassure-t-elle. Aujourd'hui, on examine seulement les nécroses pour mieux les soigner. »

Un instant plus tard, l'anesthésiste arrive et, en moins de deux, je suis partie aux pays des merveilles.

Je reprends lentement conscience et, très étrangement, je vois que je suis de retour dans ma chambre, mais les sons et les images sont comme dans un film en accéléré.

La réalité défile tout autour de moi comme si j'étais un spectre figé dans le temps. Un infirmier se rend compte que je suis réveillée et s'approche de moi pour me parler. Je ne comprends rien de ce qu'il me dit et j'ai même l'impression qu'il parle dans un dialecte inconnu.

À force de me concentrer à revenir dans le monde des vivants, je comprends que le débridement s'est bien déroulé. Et, plus important encore, mon conjoint a téléphoné durant l'opération disant qu'il arrivera sous peu. Soulagée, je retourne l'attendre dans mon douillet sommeil.

[Alin]

L'hôpital m'appelle pour m'avertir que Sol doit aller au bloc opératoire durant l'après-midi pour un débridement des plaies.

En fin d'après-midi, je téléphone au poste des infirmières pour savoir si elles ont eu des nouvelles. On m'informe que l'opération s'est bien déroulée et qu'elle devrait bientôt se réveiller. J'accoure à l'hôpital.

Le médecin m'annonce que les nouvelles sont bonnes et qu'ils vont peut-être sauver les genoux. Les tissus semblent bons, mais comme c'est un examen de surface, rien n'est encore certain. On nous dit qu'il est peut-être possible de conserver une paume sur deux, mais aucun doigt n'est récupérable. Je suis trop content qu'il y ait enfin de bonnes nouvelles que j'en oublie même de demander s'il s'agit de la main droite ou de la gauche! Mais ce qui me réjouit le plus, c'est que si tout va bien, elle sera extubée le lendemain dans la journée.

[Marie-Sol]

La nuit arrive toujours trop vite. Il me semble que le jour, je dors beaucoup en présence de mon Alin et que la nuit, je la passe réveillée en attendant le matin avec impatience. Cette fois, la nuit semble tranquille, puis au moment où je sens que je suis sur le point de m'endormir, j'entends des gens parler fort. Ils semblent être dans la chambre voisine et de tenir une réunion.

J'entends aussi un halètement continuel et régulier, comme si un chien se tenait près de moi. Des fois, la respiration de l'animal cesse un moment, puis reprend avec le même rythme. C'est étrange, je dois délirer, car je sais que c'est impossible qu'un chien puisse se promener librement dans les chambres.

Pourtant, j'aimerais bien le voir ce chien, car je l'entends! Concentrée à analyser tous les sons ambiants, je me rends compte que le ton de voix a monté d'un cran. Peut-être discutent-ils justement de la présence d'un animal dans l'hôpital? Je perçois mal les mots au travers du tumulte, mais l'ambiance est à cran. On dirait même qu'il y a une mutinerie, plusieurs sont ralliés à la cause d'une personne contre une autre. En tout cas, cette histoire occupe mon esprit et je tente de comprendre s'il s'agit réellement d'un chien.

Beaucoup plus tard, cette illusion étant probablement due aux effets des puissants médicaments, j'ai compris que le halètement canin n'était rien d'autre que le son produit par le respirateur artificiel qui m'a tenue si fidèlement compagnie, tel le meilleur ami de l'homme.

~ RESPIRER SA VIE ~

Jour 12 - Marie-Sol

Hier, on nous avait dit que si tout allait bien et si les médecins en avaient le temps, qu'on m'enlèverait les tuyaux me reliant au respirateur ce matin!

Depuis les toutes premières lueurs du soleil, je souris de mon plus beau sourire chaque fois que quelqu'un entre dans la chambre. Je ne pense qu'à cet instant de délivrance. Une infirmière, que je supplie en souriant, m'explique qu'il faut que je sois en forme et que les docteurs doivent être persuadés de la réussite de cette démarche avant de procéder à l'extubation parce que sinon, ils seront obligés de le remettre en place.

Cette option ne m'avait même pas effleuré l'esprit tant elle me semble hors de question. Je ne supporte plus cette terrible sensation d'être intubée, de sentir le gros ruban adhésif sur ma lèvre supérieure fixant le tuyau à ma bouche. J'ai tellement besoin de boire un bon verre d'eau pour faire disparaître le goût que j'ai dans la gorge depuis je ne sais plus combien de jours.

Mais ce qui est le plus difficile à vivre, c'est de ne pas pouvoir dire *je t'aime* à mon amoureux. Et même si l'idée d'être intubée à nouveau m'effraie au plus haut point, je veux lui parler aujourd'hui même!

Dans la chambre, il fait très chaud. Le soleil me rejoint par la fenêtre et j'ai une petite pensée pour le printemps que je suis en train de rater. Je sens la sueur couler abondamment sur mon front. Une autre infirmière entre, même sourire charmeur de ma part, même réponse à l'effet que je dois être patiente. Par bonheur, avant de partir, remarquant que le chaud soleil est presque rendu dans mes yeux, elle baisse le rideau, me libérant ainsi d'une source d'inconfort. Je sens bien sur la peau de mon visage que la chaleur du soleil est bloquée et que j'ai moins chaud, mais je garde un petit pincement au cœur de ne pas pouvoir me laisser baigner par les magnifiques rayons du soleil matinal.

Les heures s'écoulent très lentement et, au moment où je commence à désespérer, une infirmière vient m'annoncer que je suis la prochaine patiente et qu'on va m'extuber dès que tous les membres de l'équipe seront disponibles.

Mon cœur bat la chamade et la bonne nouvelle m'enivre de bonheur! Enfin, je vais pouvoir parler à mon futur mari et lui dire combien je l'aime, lui exprimer ma douleur et ma reconnaissance, lui dire quand j'ai trop chaud et le remercier quand il met de l'eau fraîche sur mon front. Puis, inévitablement, je poserai la tortueuse question que mon cerveau évite depuis le tout début de mon réveil : comment se portent mes enfants, Ludovic et mon petit Louis-Matis.

Une infirmière entre dans ma chambre avec un chariot rempli de matériel divers. Pendant qu'elle se prépare, elle m'avise qu'il sera très important de bien écouter les consignes du médecin, car c'est une opération très délicate. Une seconde infirmière arrive et dispose le matériel mis en place par la première.

Un gentil médecin aux manières rassurantes se présente à moi et m'explique les différentes étapes. Les trois intensivistes sont prêts et le docteur commence les manœuvres. Tout au long, il m'avertit quand ça va faire mal ou quand c'est juste très désagréable. J'aide du mieux que je le peux, tout en tentant de garder mon calme. Je n'avais pas imaginé que ce moment serait aussi difficile et terrifiant. Les infirmières m'encouragent et me disent que je coopère bien. Elles m'insufflent la confiance nécessaire pour continuer à supporter cette répugnante sensation de faire extirper les tuyaux de mon nez et de ma gorge.

Finalement, arrivée au bout de telles souffrances, je tousse un bon coup, tout en expulsant les derniers résidus de l'intubation.

« Respire lentement, respire », me dit doucement le médecin en appliquant un masque d'oxygène sur mon visage. Je m'exécute entre deux quintes de toux expectorante.

Après avoir pris plusieurs bonnes respirations, il me demande de parler. Au moment de dire quelque chose, je m'arrête soudainement, surprise par le son caverneux de ma voix. Inspirée par un célèbre personnage à la voix rauque, je m'exclame : « Je suis Dark Vador ».

Je ris de ma blague et les infirmières aussi. Que c'est bon de rire, de respirer par moi-même! Soudainement, je tombe de fatigue, à la suite de l'effort énorme que je viens de fournir pour respirer ma vie. Puis, une autre toux se déclenche et mon combat contre les sécrétions ne fait que commencer.

[Alin]

J'avais déjà trois belles journées à mon acquis dans ma vie : la première étant ma rencontre avec Sol, ensuite, deux naissances, celles de nos deux fils. Aujourd'hui est devenu définitivement la quatrième lorsque mes oreilles ont entendu, de sa voix rocailleuse, les mots *je t'aime*. Quelle joie de la voir respirer sans dépendre d'un appareil!

Nous avons discuté avec beaucoup d'émotion de la dernière semaine. Elle ne se souvient pas de tout, mais une chose est certaine, elle se rappelle très bien de ma demande en mariage !

Pendant que plusieurs organes éprouvaient des difficultés ses oreilles, elles, fonctionnaient parfaitement bien !

[Marie-Sol]

Le quart de travail de jour se termine et l'équipe de soir se prépare à poursuivre les soins devant être dispersés aux patients. Je repense à ma journée.

Ma première gorgée d'eau a été un pur délice libérateur ! Jamais l'eau n'a eu si bon goût. Cette source de vie me redonne l'espoir en des jours meilleurs. On m'aide à boire tous mes petits gobelets avec entrain et la glace que les infirmières y ajoutent si généreusement refroidit un peu mon système corporel.

Mais rien ne se compare à ce puissant impact positif qu'est celui de retrouver la parole. Rien ne vaut un *je t'aime* de vive voix à l'être aimé qui supporte si valeureusement cette épreuve à mes côtés. Merci la Vie, merci mon bel amour.

Ce soir, probablement en guise de récompense, une jeune préposée me suggère d'écouter un film. Elle roule une grosse télévision devant mon lit et me laisse choisir le DVD. Je me laisse tenter par un film de fille et je l'écoute jusqu'à la fin en buvant des verres d'eau glacée, en remplacement du traditionnel pop corn !

La morale du film m'émeut et les larmes coulent à nouveau. Ça me fait vraiment du bien de pleurer pour une autre histoire que la mienne.

J'appuie avec ma tête sur la sonnette qu'on a installée sur mon oreiller, technique adaptée à mes nouvelles capacités. La jeune fille repart avec son divertissement et je m'endors aussitôt, reconnaissante.

Jour 13 - Marie-Sol

Autant hier a été l'une des plus belles journées de ma vie, autant aujourd'hui est la pire. J'ai toujours beaucoup de difficulté à respirer. Ça roucoule dans mes poumons et je ne dispose que de très peu de force pour cracher ces intrus qui m'empêchent de bien inspirer.

À mon réveil, aux petites heures du matin, je vois courir du personnel d'un côté puis, de l'autre, guidé par le son des cloches. Je veux les aider. Il me semble que je n'ai qu'à désarticuler mes jambes et mes bras, comme les bonhommes Lego de mes enfants, pour aller rendre service à ceux qui m'ont tant aidée durant mon séjour à l'hôpital. Il y a de l'urgence dans l'air, des gens souffrent et je veux me rendre utile.

Mais, mes membres ne répondent pas. Je suis prisonnière de mon corps. Seule ma tête bouge un peu, juste assez pour voir les infirmiers se déplacer tels des ambulanciers sur les lieux d'un accident. J'ai fini par comprendre que je suis aux soins intensifs et non plus à l'urgence, comme je le croyais. Je constate néanmoins que les autres patients ne sont pas tous complètement hors de danger. Ce qui me ramène à ma propre survie.

Mais qu'est-ce que j'ai fait pour mériter une telle tragédie? Qu'est-ce que nous avons fait? Mes enfants et mon conjoint n'ont pas mérité de vivre quelque chose d'aussi ignoble! Personne, pas même mon pire ennemi ne mérite un tel sort! Qui m'en veut à ce point?

Brusquement, comme si je faisais un voyage astral, je suis projetée dans l'espace-temps et je plane au-dessus d'une pièce que je connais. Je vois très clairement deux personnes qui s'amusent méchamment à couper, à l'aide de ciseaux, un à un, chacun des membres d'une petite poupée vaudou à mon effigie. Comment peuvent-elles être aussi cruelles?

La réalité m'aspire violemment et je retourne dans mon corps, allongée sur le dos. Deux gentilles infirmières entrent et se préparent aux habituels changements des pansements.

Ce n'est pas la première fois que je vois les plaies, mais aujourd'hui, j'en prends pleinement conscience. Ça fait mal, ça me fait très mal au cœur. Je pleure toutes les larmes de mon corps en constatant ces dégâts irrécupérables.

Mes mains sont complètement noires et sans vie. La peau est desséchée et collée sur les phalanges. Seuls mes ongles ont continué de pousser. Ils sont beaucoup plus longs qu'à l'habitude et ils présentent une couleur jaunâtre telles les défenses en ivoire d'un éléphant mort. Mes doigts sont recroquevillés comme s'ils tentaient de s'accrocher à quelque chose. Cette vision est horrible et je pleure de douleur à la pensée que je ne pourrai plus jamais tenir la main de mes garçons en traversant la rue.

Je comprends, comme si j'étais frappée par une balle en pleine poitrine, que je ne pourrai jamais plus traverser une rue en marchant. Mes deux jambes sont aussi dans un état effroyable. Mes pieds ont noirci et les orteils ont pris une forme inhabituelle. Comme mon corps a dû souffrir durant mon profond coma! Les contractions de mes doigts et de mes orteils offrent une scène affreuse.

Mais le spectacle, digne des pires films d'horreur, n'est pas terminé. Plus on s'approche des cuisses, plus la coloration change. Les plaies purulentes passent du noir au bourgogne avec des teintes de vert, de rouge et de jaune. Cet arc-en-ciel mons-trueux se retrouve aussi sur mes bras, ayant pour seule conso-lation, qu'il s'estompe un peu avant les coudes. On ne peut pas en dire autant des genoux qui sont affectés et même au-delà. Je sais que j'ai des plaies jusqu'aux fesses, car chaque nuit on me réveille pour changer les pansements au siège.

Les dames qui nettoient ces horreurs sont très coura-geuses et, par compassion, chacune cache sa propre stupéfac-tion. J'ai tant de peine que je n'arrive pas à arrêter de pleurer, ce qui occasionne des complications avec ma respiration.

Aujourd'hui, je ne suis pas au bout de mes peines. On m'a servi mon premier repas. Ça n'a pas l'air très bon et je n'ai vrai-ment pas faim, mais je veux recouvrer ma santé. J'avale donc tout ce qu'on me donne à manger avec le sourire. C'est excessi-vement difficile et je suis très essoufflée par l'effort.

Une fois terminé, je me retrouve seule à nouveau. J'ai hâte de raconter à mon amour que j'ai mangé. Même si la nausée me prend quand je repense au ragoût bœuf-carottes gluant, c'est tout de même un signe d'amélioration de mon état.

Une merveilleuse infirmière des soins intensifs m'avait promis de laver mes cheveux avant de prendre sa pause, si elle en avait le temps. Je la vois qui arrive avec son beau sourire et une autre qui l'accompagne pour l'aider.

Quel bonheur, mes longs cheveux sont très sales et tout emmêlés. J'ai eu tellement chaud! L'eau tiède coule sur mon cuir chevelu, puis je sens le doux parfum du shampoing. Elle me fait un merveilleux massage. Je suis aux anges! Un petit coup de brosse pour la finition. Mon sourire en dit long et entre deux respirations difficiles, je les couvre de louanges et les remercie chaleureusement pour leur geste si bienfaisant et leur générosité.

Elles me quittent pour profiter de leur pause, laissant mes cheveux à l'air libre pour les laisser sécher.

Alors que je suis totalement détendue et que je savoure ces instants de bonheur, je ressens un incroyable mal de ventre. J'ai très mal et j'ai peur que ce ne soit pas normal. Je pleure de douleur, mais aussi de frustration de ne pas pouvoir me frotter le ventre. Je sens une panique monter en moi et je finis par activer la sonnette d'appel à l'aide.

Après un rapide examen de la situation, l'infirmière de garde en déduit que c'est l'arrivée de la nourriture solide qui fait travailler mes intestins qui ont été passifs depuis trop longtemps. Avoir su, j'aurais moins mangé!

Rassurée et munie d'un linge chaud sur mon ventre, je réussis à me calmer.

Respirer m'épuise. La dialyse chaque jour gruge beaucoup de mon énergie, sans parler de toutes les fois où on me réveille pour un examen, une radiographie ou une rencontre avec un spécialiste. Je suis épuisée d'être malade et je dors très mal la nuit, me réveillant fréquemment, cela étant dû à toutes sortes de sons. Que ce n'est pas reposant d'être hospitalisée!

Pour m'aider à dormir, on me donne une petite pilule qui devrait être mon salut pour cette nuit.

Je me réveille en sueur dans un monde étrange. On dirait que je suis dans un genre de sous-marin de guerre. On est en pleine tempête, le bateau tangue d'un côté et de l'autre. Les lampes de sécurité créent un éclairage rouge qui rend la scène encore plus sinistre.

Heureusement, j'ai un amiral à mes côtés. Mon fidèle amiral Spoutnik. Moi, je suis le capitaine Marteau et je donne des commandements à l'équipage. Attention! Une énorme vague à tribord! L'eau entre dans le sous-marin. Je ne peux plus bouger, j'ai dû être blessée au combat. Je suis complètement trempée et j'ai le visage en nage. L'eau coule de partout et mon amiral Spoutnik s'assure que je ne me noie pas.

L'aventure houleuse dure toute la nuit. Puis, lorsque l'effet du médicament contre l'anxiété s'estompe, je reprends graduellement le contrôle de mon esprit. Lentement, ma conscience refait surface.

Lorsque j'arrive pour saluer mon amiral, je me rends compte que celui que j'ai pris pour un solide compagnon n'est nul autre que le poteau accueillant la multitude de pompes et de solutés veillant à ma survie.

Les dernières vapeurs du médicament s'évaporent aussitôt. Il est bien évident que je ne suis pas le capitaine Marteau, mais bien Marie-Sol St-Onge! Je me souviens de m'être présentée de façon formelle à plusieurs reprises durant mon délire.

Cette nuit a été trop réelle pour n'être qu'un rêve. J'en déduis que je devais probablement raconter ma nuit aux infirmières et que j'ai dû les confondre avec mon équipage imaginaire. J'active la sonnette pour rétablir la vérité!

L'infirmière s'approche de moi, hésitante.

– Ça va?, me demande-t-elle timidement.

– Oui! C'est moi!, dis-je fièrement, un peu essoufflée. Je m'appelle Marie-Sol St-Onge, pas capitaine Marteau! Mon conjoint, c'est Alin Robert et j'ai deux enfants!

– Ouf!, me dit-elle soulagée. Toute la nuit, j'ai eu peur que ton état dégénère. Je suis tellement heureuse que tu te rappelles qui tu es.

Puis, poursuivant avec un petit sourire apaisé :

– Je suis venue te voir je ne sais plus combien de fois durant la nuit et, chaque fois, tu me parlais d'une histoire incohérente de bateau et de capitaine. J'ai ri de bon cœur et, elle, de soulagement.

Ce type de médicament pour moi, c'est *t-e-r-m-i-n-é!*

Jour 14 - Alin

Marie-Sol est un peu bizarre aujourd'hui. Elle me raconte un genre de rêve qu'elle a fait cette nuit en réaction à un médicament qu'on lui a donné pour qu'elle puisse dormir. Elle a effectivement l'air d'avoir eu un sommeil agité.

De plus, elle s'est convaincue qu'elle va manger du McDonald pour dîner. Elle en est tellement certaine qu'elle refuse catégoriquement son repas d'hôpital pour se garder en appétit. Je constate qu'elle est sérieuse, mais je sais pertinemment que si ce n'est pas moi qui vais lui en chercher, personne d'autre ne le fera. Je prends donc sa commande et je pars vers la succursale la plus proche.

En revenant à la chambre, je ne passe pas inaperçu avec un sac aux odeurs si caractéristiques. Tous ceux présents dans les corridors des soins intensifs se tournent vers moi, intrigués.

Je vois alors la nutritionniste qui s'occupe de Sol venir vers moi. Contre toute autre attente, elle nous accorde ce petit écart de conduite au profit des bienfaits psychologiques. De plus, Sol a tellement de poids à récupérer que le seul fait de manger plus de calories est bon pour elle.

C'est donc avec l'approbation de sa nutritionniste qu'elle mange avec appétit trois frites, deux bouchées de *wrap*, une bouchée de croquettes et une gorgée de boisson gazeuse.

Quel bonheur de la voir complètement rassasiée grâce à ce festin... bon pour le moral! Une chance du ciel qu'elle est munie d'un moral d'acier pour affronter tous les obstacles à venir...

Jour 15 - Marie-Sol

Toute la nuit, j'ai tenté de cracher les sécrétions qui m'empêchent de bien respirer. Je me sens tellement faible à force d'essayer. Durant le changement des pansements de la nuit, j'ai presque cessé de respirer tant les sécrétions obstruaient l'accès d'air vital à mes poumons. Les infirmières ont même essayé d'introduire une pompe dans ma gorge tel un aspirateur buccal aspirant toutes les sécrétions. Mais en vain, je suis épuisée de respirer.

Je reçois des traitements d'inhalothérapie fournis par de gentilles professionnelles. Mais même si je sais que souffler dans cette petite machine est bon pour moi, j'appréhende chacune de leur visite. Ça me demande tellement d'énergie pour si peu de résultat! Mon souffle est court. Parler est très exigeant pour mes poumons.

Néanmoins, j'ai hâte de parler à mes enfants au téléphone et de les rassurer par mon amour. Juste penser à leurs petits visages tristes, me bouleverse complètement. Il va me falloir être forte pour réussir à leur parler sans pleurer.

Il y a aussi mes parents à qui je n'ai pas encore parlé. C'est étrange, je sais qu'ils savent ce qui m'est arrivé et les épreuves que je traverse. Alin leur parle chaque jour pour les tenir au courant. Je les imagine complètement anéantis, même si Alin me rassure en me disant qu'ils se portent mieux depuis ma sortie du coma. Je le sais, mais j'appréhende quand même la première fois que je les aurai au bout du fil. Je tente de réciter ce que je vais leur dire et je n'ai que ces mots en tête : *maman, papa, je vais être amputée des deux bras et des deux jambes.* Puis, je suis incapable de continuer, envahie par la tristesse de mon état.

En avant-midi, une infirmière me fait vivre ma première sortie sur un autre étage de l'hôpital. Elle roule mon lit vers le département de médecine nucléaire. Même si les raisons de mon déplacement sont tout de même inquiétantes, ça me fait du bien de me promener ainsi et de voir autre chose que les murs de ma chambre.

Je suis en attente, car la session du patient précédent ne s'est pas terminée tel que prévu.

J'apprends qu'il s'agissait d'un bébé et mon infirmière m'explique les difficultés de faire passer cet examen à un enfant en si bas âge.

Je pense immédiatement aux miens qui sont plus âgés que lui. Je ne peux pas me permettre de penser à mes garçons trop longtemps, car je sens aussitôt un torrent de larmes monter en moi. Je me console néanmoins en me disant que j'aime mieux que ce soit moi qui ai vécu cette catastrophe qu'eux.

Finalement, c'est mon tour puisqu'on m'attend pour un autre scan.

On m'amène dans la salle d'examen et j'aperçois un énorme appareil. La dame m'explique qu'on va me coucher sur une planche pour ensuite la glisser à l'intérieur. Une fois en place, on m'injectera une substance qui ressemble à de l'iode. Le contraste qui se produira aidera la caméra de l'appareil à bien détecter l'activité de mes reins.

Après mon transfert du lit à la planche, non sans douleur, il va sans dire, l'examen commence. Je sens une chaleur envahir mon corps. On m'explique que ce sont les isotopes radioactifs qui m'ont été préalablement injectés et que c'est normal.

Pour moi, rien n'est normal. Je suis très impressionnée par le bruit assourdissant généré par cet appareil. Mon infirmière tente de me distraire, mais nous sommes vitement rappelées à l'ordre : on ne doit pas parler durant cet examen. Ça dure une éternité, puis l'appareil s'éteint. La scintigraphie rénale est terminée et je suis déjà en direction vers l'autre scan.

Mon lit est roulé dans une autre pièce où l'éclairage est aveuglant. Un immense scanner prend tout l'espace et je me sens toute petite devant cet imposant instrument médical.

Même si je suis petite, je ne suis pas légère pour autant. Le personnel en place a beaucoup de difficulté à m'installer sur la micro planche.

Pour mon plus grand plaisir, je sens la fraîcheur de la planche sur mon dos. Les techniciennes s'inquiètent de mon confort, mais je les rassure en souriant. Ça va. Ça va aller. Mon infirmière me dit que ce scan est moins long à effectuer que le précédent.

Quelle expérience que de vivre cet examen que j'avais déjà vu... dans des films. Je suis stupéfaite que la sévérité de mon état nécessite un matériel aussi sophistiqué généralement utilisé pour détecter un cancer.

J'ai peur, probablement autant que tous ceux qui ont été placés sur cette planche avant moi. La seule différence est que j'ai déjà failli mourir. Je ne permettrai pas que cela m'arrive à nouveau.

Mais comment vais-je vivre? Je n'en ai encore aucune idée.

Ma tête entre en premier dans cet énorme anneau. Des indications sonores et lumineuses m'expliquent ce que je dois faire.

– Au signal, prenez une grande inspiration, bloquez votre respiration, attendez ...3, 2, 1... vous pouvez maintenant respirer.

Il y a un petit symbole représentant un visage, soit en vert qui respire ou en rouge qui retient sa respiration. Ces voyants lumineux guident les étapes énoncées par une voix robotique, mais apaisante. Je dois répéter les opérations quelques fois, toujours accompagnées du bruit étrange que produit l'appareil. Puis, il s'éteint, les examens sont terminés et mon infirmière me ramène à ma chambre.

Jour 16 - Alin

Nous sommes enfin seuls dans la chambre. Avec tous les examens que Sol a subis cet avant-midi, nous n'avons pas encore eu aujourd'hui l'occasion de nous retrouver dans l'intimité.

Ces moments de calme ne durent jamais longtemps. Quand ce n'est pas une infirmière ou un spécialiste qu'il faut rencontrer, on doit soit changer la literie et les pansements, en plus de l'entretien physique et des besoins primaires.

Cette fois-ci, c'est le chirurgien, le plasticien et l'infectiologue qui viennent à notre rencontre. Ils discutent de leur plan d'action en ce qui concerne les éventuelles amputations. Ce n'est toujours pas plus facile et je ne m'habitue pas de discuter de ce sujet aussi épineux.

Nous gardons le moral tout en espérant régénérer le plus de peau possible. Après le départ des trois spécialistes, c'est au tour de la néphrologue. Les reins semblent reprendre du mieux.

Pour nous, c'est un signe d'espoir et j'en profite pour féliciter Sol qui demeure figée, mais tout de même souriante.

— Lâche pas ma belle, tu es forte et courageuse parce que sans ta force, moi, je flancherais.

[Marie-Sol]

Je donne mon 100 % à chacun des traitements en inhalo-thérapie. C'est extrêmement difficile et je parviens rarement à faire bouger la petite bille dans l'appareil. Je suis supposée souffler de toutes mes forces dans l'embouchure et réussir à faire lever la bille blanche dans un tube. Après trois ou quatre essais, je peux me reposer jusqu'au prochain traitement.

C'est toujours une fois les inhalothérapeutes partis depuis une dizaine de minutes et à force de tousser, que j'arrive finalement à expulser une sécrétion. Je dois alors réclamer l'infirmière en appuyant sur un bidule rond avec ma tête et attendre qu'on vienne me délivrer de cette mucosité.

Chaque fois que je libère ainsi mes voies respiratoires, je suis certaine que c'est terminé et que mes poumons sont enfin guéris. Sordide illusion! Ma respiration s'embourbe à nouveau et une autre glaire attend son tour. C'est décourageant. Même l'intensiviste se demande pourquoi je n'y arrive pas. Il surveille l'évolution, car si l'obstruction empirait, il y a toujours cette foutue possibilité d'être intubée à nouveau.

On est en pleine nuit et je pleure de désespoir. La très attentionnée préposée qui recueille chaque sécrétion dans un papier-mouchoir, remarque ma détresse. Elle s'approche de moi et me demande la raison de mon torrent de larmes.

— Je ne suis plus capable, jamais je vais arriver à dégager mes poumons de toutes ces saletés, lui dis-je, mes pleurs s'intensifiant.

Et c'est à ce moment qu'elle m'a dit ces paroles qui resteront à jamais gravées dans ma mémoire :

— Ma belle Marie-Sol, si toi tu n'y crois plus, MOI je vais y croire pour nous deux!

Elle me raconte alors qu'elle a allumé un lampion à mon intention et qu'elle dirige toutes ses énergies positives en coloriant un mantra destiné à ma guérison. Touchée par autant d'empathie, je me calme en pensant à tous ceux qui tiennent à moi. Tant d'amis, tant d'anciens collègues de travail, tant de gens inconnus qui ont entendu notre triste histoire par le biais des médias ou de nos familles, souhaitent ma guérison. Toutes ces congrégations de religieuses qui prient pour nous. L'école de mes enfants, celles où mon conjoint travaillait, tous ces gens qui m'envoient leurs ondes positives. Ça me bouleverse et, en même temps, ça me donne une force qui me stimule à continuer.

Jour 17 - Alin

Les garçons sont chez mes parents avec ma sœur et ses enfants, ce qui me permet de passer toute la journée avec Sol. Nous avons même eu deux beaux repas en tête-à-tête. Je peux donc la faire manger à son rythme afin qu'elle puisse déguster et non être pratiquement gavée. Parler l'essouffle, c'est alors très long quand vient le temps de manger.

Ce petit moment d'intimité, entrecoupé par la dialyse, des exercices d'inhalothérapie et de physiothérapie nous a fait beaucoup de bien. C'est une très belle journée, mais maintenant, c'est déjà l'heure d'aller chercher les enfants. Je vais les chercher et vite nous prenons la direction de notre maison. Je ne leur dis pas encore qu'ils vont parler avec leur maman en soirée. Une belle fébrilité m'habite parce que la famille sera réunie pour la première fois depuis presque trois semaines.

[Marie-Sol]

En me quittant pour aller chercher nos fils, mon amoureux m'a dit qu'il allait téléphoner dans la soirée pour que je puisse leur parler. J'ai très hâte de m'entretenir avec eux, mais en même temps, ça m'angoisse un peu. Je sais qu'Alin est fort avec eux et qu'il les accompagne pas à pas durant cette épreuve. Je veux être forte moi aussi et je passe en boucle dans ma tête tout ce que je veux leur dire. L'important, c'est qu'ils puissent être rassurés et que je puisse leur dire à quel point je les aime.

Je m'endors en attendant ce doux moment. Dans mon rêve, je parle à ma mère au téléphone. J'essaie de lui dire que mes jambes et mes bras sont morts. Mais je n'y arrive pas. Je ne fais que pleurer. Une infirmière me réveille en me tendant un combiné téléphonique. Je suis toute mêlée entre la réalité et le rêve. J'ai chaud, encore et toujours. Ma jaquette d'hôpital est trempée de sueur.

La jeune préposée pose le combiné sur mon oreille. Je m'entends parler comme au loin avec de l'écho. C'est Alin; il me laisse parler à Ludovic en premier, puis à Louis-Matis. Ma voix est rauque et je suis très essoufflée. Je bredouille des mots d'amour à mes garçons chéris qui me le rendent au centuple avec leur petite voix claire, pure, mais si lointaine.

Après ce trop bref moment de connexion avec ma vie, je me réfugie dans un sommeil triste, mais teinté d'espoir de retrouver bientôt une vie normale où nous attend le bonheur d'être ensemble.

Comme chaque nuit, on me réveille pour changer mes pansements. Les équipes soignantes de jour et de soir se sont coordonnées pour répartir également les quatre membres nécrosés et ainsi équilibrer les tâches.

Depuis le début, les infirmières de jour s'occupent de mes bras et celles de soir se retrouvent prises avec mes lourdes jambes. Mes plaies au siège sont prises en charge par l'équipe de nuit. À partir de cette nuit, on s'occupera de mon bras et de ma jambe du côté droit le soir et de mes membres du côté gauche le jour. À la fin de la nuit, alors que je dors finalement profondément, on me réveille encore pour le douloureux changement du pansement au fessier.

Jour 18 - Marie-Sol

La dialyse. J'essaie de ne pas trop penser à l'impact qu'aura cette fonction dans mon futur. Pour l'instant, je me préoccupe plutôt du moment présent. Je vois cet appareil qui est roulé dans ma chambre chaque jour par un spécialiste qui désinfecte l'équipement et stérilise le cathéter que je porte en permanence.

Le plus difficile pour moi est lorsque vient le temps de porter un masque. C'est obligatoire pour ne pas introduire des bactéries indésirables par la voie ouverte. Sans masque, je respire difficilement, c'est donc dire que j'étouffe littéralement avec cette barrière de papier! Concentrée à contrôler ma faible respiration, je regarde les manœuvres effectuées pour brancher cette plomberie à un être humain. Puis, je vois mon sang dévaler à toute vitesse le long des tuyaux transparents pour être filtré. Et ce processus dure quatre heures!

Quatre longues heures à perdre d'heure en heure mon peu d'énergie. Parfois, j'arrive à dormir, souvent je n'y arrive pas. Mais les meilleures fois, c'est lorsque mon amour est avec moi. Nous ne parlons pas toujours, même que nous restons souvent silencieux. Ce sont là les meilleurs moments de tranquillité, rarement interrompus par une visite de médecin.

Mais aujourd'hui c'est différent, mes parents vont me téléphoner durant l'après-midi. Je suis en pleine dialyse et ça va plutôt bien. Je suis un peu nerveuse et j'attends anxieusement la sonnerie du téléphone. Alin est là pour tenir le combiné.

J'ai très hâte et, en même temps, j'ai peur. Peur d'être confrontée à leur peine, peur d'avouer ce qui m'est arrivé comme si j'avais commis un crime. Pourtant, je sais très bien que personne ne me reproche d'avoir contractée cette monstruosité et d'être malade, encore moins mes parents! Mais je suis toujours habitée par un sentiment de culpabilité non fondé.

Un peu avant l'heure prévue de cet appel téléphonique, une inhalothérapeute entre pour commencer un nouveau traitement. Elle m'applique un masque à oxygène, mais avec l'ajout d'eau saline. Je dois le garder en place durant une bonne vingtaine de minutes. C'est un peu comme un traitement intensif de vapeur d'eau de mer et je suis persuadée qu'il va m'aider à mieux dégager les sécrétions qui obstruent chacune de mes respirations.

J'entends la sonnerie du téléphone.

Mon cœur bat plus vite, je vais parler à mes parents! Je leur parle avec le masque à oxygène, l'inhalothérapeute le retient de travers pour leur permettre de m'entendre. Alin tient le combiné. Les émotions sont fortes. Ma pression monte un peu et je vois un signal sur les écrans des moniteurs indiquant que je n'absorbe pas assez d'oxygène. Je dois ralentir le rythme et respirer.

Mes parents me disent combien ils m'aiment et je termine cette courte conversation, entrecoupée de pauses forcées, soulagée et apaisée.

Le traitement d'eau saline semble être bénéfique. Je respire un peu mieux et ma voix est un peu moins rauque. Je suis contente d'avoir parlé à mon père ainsi qu'à ma mère. Mon amour est à mes côtés et je me laisse aller dans ce moment de clément réconfort.

[Alin]

La journée s'est bien passée et la soirée est riche en émotions. Quatre infirmières des soins intensifs installent confortablement Sol dans un fauteuil adapté à l'aide d'un lève-personne. C'est un genre de chariot élévateur pour humains. Je dois sortir de la chambre pour les laisser manœuvrer tellement l'appareil est volumineux. C'est une très grosse entreprise de déplacer Sol avec ses membres nécrosés, et cela, sans lui faire trop mal. On me fait signe d'entrer. Les merveilleuses infirmières ont eu la très gentille attention de placer un fauteuil juste à côté de ma douce.

Quel bon dimanche! Nous passons un gros quinze minutes assis côte-à-côte, à savourer la chance que nous avons d'être unis aussi intensément. Puis, Sol commence à fatiguer et les étourdissements provoqués par la position verticale s'amplifient. Pour une première fois, ça c'est plutôt bien passé, même si cette étape nous fait réaliser que nous ne sommes pas sortis de l'auberge.

Jour 19 - Marie-Sol

Les radiographies du matin, les traitements d'inhalothérapie intensifs du soir, entrecoupés par la dialyse et la physiothérapie le jour sont, à vrai dire, des journées extrêmement chargées. Les différents médecins spécialistes défilent dans ma chambre les uns après les autres.

C'est très difficile d'être seule avec mon amoureux pour recharger nos piles. Nous avons viscéralement besoin d'être réunis. Ensemble, nous pouvons jumeler nos forces et absorber le choc de l'abomination de ce qui m'arrive. Ce n'est qu'une question de temps avant que je sois transférée sur un autre étage de l'hôpital ce qui permettra à nos enfants de venir me voir. Je m'ennuie tellement d'eux, c'est fou comme ils me manquent.

Heureusement, pour tenir le coup, j'ai mon amour à mes côtés. Le matin, j'attends son arrivée avec impatience. Depuis quelque temps, il apporte des fruits et des croissants. Ces petits-déjeuners sont les meilleurs moments de mes journées. Je peux manger tranquillement et boire mon café à mon rythme. Il apporte la nourriture et les liquides à ma bouche, sans que je le demande, comme s'il devinait chacune de mes envies. Cette connexion, cette complicité entre nous est le résultat de tant d'années à partager nos vies.

Il me parle de mes parents à qui il fait quotidiennement des comptes-rendus de ma situation autant médicale que morale. Il me parle de nos familles, jusqu'aux membres les plus éloignés, qui se soucient de notre sort. Il me parle de nos amis qui pensent à nous, de ceux qui découvrent l'énormité qui nous est tombée sur la tête. Il me parle des nombreux encouragements écrits sur les réseaux sociaux et des courriels d'amitié et de compassion qui nous parviennent. Je me laisse bercer par ce flot d'amour et j'emmagasine toutes ces ondes positives, prête à attaquer ma journée.

Jour 20 - Marie-Sol

Graduellement, sans même trop en avoir conscience, mes poumons se sont presque complètement libérés. Il reste toujours un petit roucoulement constant, mais au moins, je peux respirer profondément. Je me répare et je me régénère chaque jour... un tantinet à la fois.

On dirait que moins j'entretiens d'inquiétude avec ma respiration, plus je me préoccupe de mes reins. C'est très étrange de constater qu'après tout ce temps, pas une seule fois je n'ai eu besoin de vider ma vessie. Malgré tous les liquides que j'ingère chaque jour, ma vessie reste vide. J'ai de la difficulté à accepter que je devrai toujours avoir besoin d'un appareil mécanique pour vivre.

Un néphrologue m'a expliqué que c'était fréquent que les reins cessent de fonctionner à la suite d'un choc septique.

Il arrive souvent que grâce au temps qui fait son oeuvre de réparation et de la dialyse, que les reins reprennent leur travail. Je fonde tous mes espoirs sur cette possibilité. Je visualise mes deux petits organes en me rappelant mes notions de biologie du secondaire. Je leur parle, je les encourage à redémarrer leur disque dur et à repartir leur système de filtration.

Dans une journée, j'ai beaucoup de temps pour penser et lorsque je ne fais pas de visualisation positive de guérison, j'essaie de déchiffrer les différentes affiches. Quelques-unes sont trop loin ou les caractères sont trop petits, mais j'ai réussi à en comprendre l'essentiel. Elles me donnent l'espoir d'un retour à la vie, à ma vie, ma vie de conjointe, de mère, d'artiste peintre. Ce sont des affiches qui évoquent le départ d'un patient ayant reçu son congé. Un rêve que je souhaite réaliser le plus vite possible.

Je regarde longuement les photographies de mes petits garçons qu'Alin a fixées au mur. Ce sont les photos officielles de l'école de l'année courante. Ils me sourient... Qu'ils sont beaux! Comme je les aime! C'est difficile de ne les voir qu'en photos, mais cela me fait quand même du bien, malgré les larmes qui coulent inévitablement sur mes joues rouges.

J'occupe aussi mon esprit en me rappelant les noms des personnes qui me soignent. J'essaie également d'apprendre leur poste et leurs tâches principales. J'apprécie particulièrement la carte de l'hôpital sur laquelle je peux lire plusieurs informations.

Il y a entre autres, au verso, une légende expliquant les codes d'urgence et les couleurs qui y sont associées. J'essaie de mémoriser toutes ces données qui passent dans mon champ de vision. Cette gymnastique mentale me donne l'impression de faire fonctionner mon cerveau dans ce nouveau monde où je reçois très peu de stimuli.

⌒ ÉTAT STABLE ⌒

Jour 21 - Marie-Sol

On en parlait entre les branches ces derniers temps, mais voilà que la décision vient d'être prise : je déménage de chambre!

Je suis très contente, car pour moi, quitter les soins intensifs signifie que je suis dorénavant hors de danger et il s'agit là d'un aspect très important pour soutenir mon moral. Je suis néanmoins déstabilisée, puisque ce déménagement arrive plus vite que prévu. Alin vient tout juste de partir lorsque l'infirmière vient m'annoncer la bonne nouvelle. Je m'inquiète qu'Alin se retrouve devant une chambre vide demain matin, avant d'être informé que je suis seulement déménagée au troisième étage. Il ne faudrait pas qu'il croit que le pire est survenu durant la nuit.

Un préposé prend la responsabilité de téléphoner à mon conjoint pour l'en avertir. Ça me rassure. C'est tout de même un peu stressant de quitter cette belle équipe des soins intensifs qui m'a toujours procuré tant de soins attentifs. Un petit groupe s'est formé autour de moi pour souligner mon départ. Tout le personnel est ému et moi je le suis, jusqu'aux larmes. Certains me suivent jusqu'à ma nouvelle chambre, transportant sonnette, fleurs et photos. Puis, je me retrouve seule dans cet univers inconnu. Une fenêtre m'offre une nouvelle vue sur le monde extérieur.

Même si je suis un peu déboussolée et que je ne connais personne encore parmi le personnel, je me sens paisible et rassurée.

Je sais pertinemment que je ne suis pas au bout de mes peines, mais une étape vers la guérison vient d'être franchie. Mon cas reste lourd, mais au moins, il n'est plus critique. Le corridor est calme. Le poste des infirmières est beaucoup plus loin. Rares sont les cloches aux sonorités agressantes provenant des pompes et des appareils de mes voisins de chambre. La pénombre est tout indiquée pour sombrer dans un sommeil réparateur.

Sans crier gare, l'infirmier responsable du département, arrive dans ma chambre en état de panique.

– Comment feras-tu pour vomir si tu en as besoin? Es-tu capable de te retourner dans ton lit?, demande-t-il d'entrée de jeu.

Tout en réfléchissant, je lui réponds :

– Hum... Non, je ne peux que bouger la tête. Je ne peux même pas me gratter quand ça pique ni remonter la couverture par moi-même si j'ai froid. La liste est longue des choses que je ne suis pas capable de faire. Je peux encore moins me retourner pour vomir.

Il poursuit de plus en plus affolé :

– Ce n'est vraiment pas correct qu'on t'ait transférée ici, tu n'es même pas capable de bouger. Tu pourrais t'étouffer, si tu vomis. Puis, comment feras-tu pour crier à l'aide au besoin?

Avec ma tête, je lui montre la sonnette adaptée. Ce moyen semble lui enlever un certain stress, mais il n'est pas complètement rassuré. Il repart aussi vite qu'il est arrivé en maugréant que c'est lui qui se retrouve avec cette responsabilité, et cela, sans en avoir été préalablement informé.

Je retrouve le calme. L'apaisement que ce lieu me procurait il y a un instant s'est vite transformé en un environnement inquiétant, et même alarmant.

Jour 22 - Marie-Sol

Je me retrouve à expliquer, presque chaque fois, en quoi consistent les changements des pansements. Les infirmières qui s'en occupent se renouvellent continuellement et elles sont toujours aussi surprises quand elles déballent les vieux pansements. Devant l'ampleur des plaies, elles évitent mon regard et cherchent à rester concentrées sur la tâche à exécuter. Je les aide du mieux que je le peux, apprenant au fur et à mesure les termes médicaux.

Une infirmière doit tenir en position surélevée suffisamment longtemps une jambe ou un bras à moitié mort, pour permettre à l'autre de nettoyer les plaies avec de l'eau stérile. On prend tous une petite pause, puis on soulève à nouveau le temps d'appliquer une mince couche de crème antibiotique. Il faut en mettre seulement là où c'est encore vivant. C'est inutile d'en étendre partout et ça devient du gaspillage aux endroits complètement nécrosés. C'est douloureux et très difficile pour moi de bouger ces membres morts, mais c'est aussi très lourd pour ceux et celles qui les tiennent à bout de bras. Le remballage n'est pas non plus de tout repos. Chacune des intervenantes y va de son originalité pour créer d'aussi gros pansements.

Cette mise en scène pourrait facilement me paraître routinière, car matin et soir, le même scénario recommence, à quelques différences près. Mais, je ne m'y habitue pas.

Personne ne peut s'habituer à voir de telles horreurs. C'est de loin la pire expérience de blessure que j'ai vue de toute ma vie. Je ne me souviens même pas d'avoir vu d'aussi ignobles meurtrissures dans un film ou à la télé. Et là, ces hideuses plaies remplacent MES mains et MES jambes. C'est une sensation pénible et indescriptible d'être rattachée à son propre cadavre. Inimaginable!

La plupart du temps, je me force à regarder le déroulement des opérations et ainsi accepter le fait irréfutable que personne ne peut rien faire pour changer la terrible réalité : je serai amputée aux quatre membres!

Ma peau doit guérir un peu plus pour permettre au chirurgien de bien refermer les moignons. L'unique contrôle que je peux exercer sur cet état de fait, duquel il m'est totalement impossible de me soustraire, est de consommer des protéines en grande quantité pour favoriser rapidement la réparation des tissus. Je tente donc de boire, avec le sourire, chaque bouteille de boisson protéinée qu'on me donne.

Jour 23 - Alin

Nos fils, qui ont maintenant repris le chemin de l'école depuis presque deux semaines, se portent bien. Je suis bien fier d'avoir pu conserver une certaine routine à la maison afin de minimiser l'impact d'un tel bouleversement à leur âge. Leurs professeurs et éducateurs me disent qu'ils évoluent et s'amusent avec leurs amis de façon normale. Je suis soulagé de constater que nos enfants ne se renferment pas sur eux-mêmes et qu'ils agissent comme tous les enfants du monde, malgré le drame qui se joue autour d'eux.

Aujourd'hui, je vais les chercher tôt à l'école pour manger ensemble à la maison. Ce soir est un soir de fête parce que nous allons rendre visite à leur maman pour la première fois! Les enfants sont prêts et ils sont très excités. Nous avons beaucoup discuté de leurs peurs et ils m'ont posé de nombreuses questions aux-quelles j'ai répondu en toute franchise.

Dans le stationnement, je les sens de plus en plus fébriles, même un peu angoissés. Timidement, ils entrent dans la chambre où Sol les attendait avec son magnifique sourire. La chambre rayonne de joie et d'amour, malgré les peines vécues. Notre cellule familiale est réunie pour notre plus grand bonheur. Je tiens les garçons à tour de rôle, à bout de bras au-dessus du lit, afin que chacun puisse donner un bisou et un gros câlin à leur maman avant de partir. Je crois que c'est le meilleur remède qu'elle a reçu jusqu'à présent.

[Marie-Sol]

Je ne peux m'empêcher d'éclater en sanglots du moment où je sais qu'ils sont rendus trop loin pour m'entendre. Ma famille vient de partir. Mes amours, mes deux merveilleux garçons et mon amoureux, tous avec moi le temps d'une courte visite. Tout s'est bien passé et le moment présent était d'une grande intensité. Ça m'a fait un très grand bien de les voir si souriants. Et malgré mon rire sincère, quand ils sont partis tout joyeux de m'avoir vue, gambadant dans le corridor, c'est maintenant que ça me fait mal. C'est excessivement difficile à vivre de les voir partir tous ensemble, sans moi.

Jour 24 - Marie-Sol

Je respire de mieux en mieux. Je reçois de moins en moins la visite des inhalothérapeutes. Ils nous ont laissé l'appareil avec la bille et je fais quelques exercices de temps en temps avec Alin. Les dialyses aussi se sont espacées. Au lieu de faire filtrer mon sang chaque jour à partir de ma chambre, c'est moi qui me rends, un jour sur deux, au département d'hémodialyse.

Je suis toujours très bien accueillie par cette belle équipe dynamique. Mon lit est roulé dans une petite pièce vitrée, et cela, après un passage sur le pèse-personne. Chacune des dialyses retire des liquides de mon système tout en éliminant les toxines accumulées. Une fois le rite stérile de raccordement passé, Alin peut venir me rejoindre. Il ne reste alors qu'à attendre que les quatre heures requises soient complétées.

J'ai continuellement froid durant ce traitement. C'est assez paradoxal, car j'ai toujours chaud, mais vraiment très chaud depuis mon réveil. La dialyse a le bienfait de refroidir mon système après quelques minutes. Au début, ça me fait du bien, mais rapidement ça bascule du tout au tout et je me retrouve congelée au point de claquer des dents!

Par chance, les préposés me recouvrent de couvertures chauffantes et j'arrive presque à me détendre.

Jour 27 - Alin

Quoi de mieux qu'un bon souper en famille? Sol a la surprise de manger des sushis. Les repas servis dans les hôpitaux, c'est bien connu, sont typiquement fades et peu appétissants. Je lui apporte souvent des salades et de bons sandwichs de la cafétéria pour lui remonter le moral.

L'attente est longue; il faut attendre que Sol ait suffisamment de peau sur les membres pour procéder aux amputations et ainsi éviter une greffe de peau.

Quant aux reins, il semblerait qu'un rein en santé filtre 180 cc par jour, ceux de Sol n'en filtrent que 2.

Les chiffres donnent l'impression que la situation est de mauvais augure, mais le néphrologue semble optimiste. Nous gardons espoir et, pour le moment, nous n'avons qu'à nous aimer, le temps de permettre à son corps de faire son travail.

Jour 31 - Alin

Les semaines s'écoulent et rien ne semble changer. C'est comme si on avait cliqué sur le bouton *pause*, tellement rien de positif n'est arrivé cette semaine.

Puis, alors que la vie extérieure s'apprête à célébrer Pâques, une petite infection fongique s'est invitée sur le genou gauche de Sol. Aussi, il y a encore un peu d'eau en arrière de l'enveloppe de ses poumons. Pour nous, Pâques se déroulera sous le signe des scanners et des radiographies. Je me croise les doigts pour que tout aille bien.

[Marie-Sol]

Je me suis remise à faire de la fièvre en soirée. C'est plutôt inquiétant, car il ne faudrait absolument pas que mes plaies soient infectées. L'infectiologue fait un suivi serré et mon chirurgien se tient prêt au cas où il faudrait amputer d'urgence. Le pneumologue s'intéresse aussi à cette soudaine hausse de température. Ce signe d'infection le préoccupe. Il me fait remarquer, par ses questions investigatrices, que mes poumons sont comprimés et, d'ailleurs, je ressens un certain essoufflement. Prélèvements sanguins, échantillons et radiographies, tous les moyens sont employés pour trouver la cause. Ils attendent maintenant les résultats des analyses, tout comme nous!

J'espère que la fièvre n'est pas un mauvais signe et que tous les efforts des dernières semaines ne seront pas anéantis par un imprévu qui chamboulerait nos plans.

Je ne vis que dans l'attente des amputations. Je ne suis plus capable de supporter ces quatre fardeaux qui pendent aux extrémités de mes membres. Au début, j'avais l'impression que les plaies guérissaient au fil des changements de pansement. Mais maintenant, les infirmières doivent badigeonner certaines zones avec un liquide jaune-brun pour éviter l'éclosion d'infection.

Et là, c'est la fièvre qui sonne l'alarme.

Jour 32 - Marie-Sol

Aujourd'hui, j'ai reçu la visite du docteur qui s'occupe des chirurgies aux poumons. C'est le même qui avait mis en place des drains pour récupérer le liquide qui m'empêchait de bien respirer. D'ailleurs, ces drains me relient encore présentement aux deux pompes qui recueillent le fluide présent dans mes poumons.

D'après le dernier scan thoracique, le docteur constate que les drains fixés à mes poumons ont retiré le maximum de liquide possible. Il les enlève puisque plus rien n'est maintenant aspiré à cet endroit.

L'opération n'est pas plus douloureuse que lorsqu'on enlève un diachylon bien collé.

Je suis bien contente que ces fils branchés à même mon corps aient été retirés. Par contre, il reste des petites poches de liquide, mais qui se retrouvent loin de la zone couverte par les drains. Ça me donne l'impression que l'aspirateur a fait les coins ronds et qu'il reste des résidus sous la moquette.

Le docteur devra terminer le travail en effectuant une ponction pleurale, prévue pour le lendemain. Cette opération consiste à introduire un aspirateur de précision dans mes poumons et elle se passera en chirurgie.

Les médecins consultés dans le dossier soupçonnent tous qu'il y a une infection dans le poumon droit et que c'est ce qui cause la fièvre des derniers jours.

Jour 33 - Marie-Sol

J'attends patiemment dans mon lit que ce soit mon tour. Le brancardier qui m'a transportée à eu la gentillesse de rebrancher mon lit. Je suis couchée sur un matelas gonflé pour éviter les plaies de lit et il se dessouffle rapidement lorsqu'il n'est pas alimenté en électricité.

J'aperçois, au bout du corridor, le chirurgien que j'ai vu la veille. Ce sera bientôt à moi et je tente de respirer calmement. Il pousse lui-même mon lit dans la salle d'opération. C'est une très grande pièce et il y fait très frais. J'apprécie ce moment de fraîcheur en écoutant les directives du docteur.

Je le trouve très gentil et attentionné. Il m'explique en détail tout ce qu'il fait, à partir des instruments utilisés aux techniques de travail. À un moment donné, je deviens un peu étourdie et je me questionne sur la nécessité qu'on me fournisse autant de précision.

— J'exerce aujourd'hui une échographie pleurale bilatérale suivie d'un drainage thoracique bilatéral réalisé sous échoguidage. Je mets en place un cathéter. Tu vas sentir une première piqûre percer la première couche du poumon.

Je sens effectivement ladite piqûre et son entrée est assez douloureuse. Il poursuit son exposé accompagné de ses gestes méthodiques. Il perce à nouveau ma peau, puis l'enveloppe pulmonaire, pour rejoindre la zone à vider. C'est pratiquement intolérable comme sensation et ce n'est que le premier poumon! Le cathéter bien en place, il commence l'aspiration.

— Tu vas sentir un peu de douleur au début, mais c'est surtout à la toute fin que ça devient difficile, me prévient le docteur. Tu vas tousser sans même le vouloir, jusqu'à ce que ça devienne insupportable. Le but c'est d'endurer la toux assez longtemps pour récupérer un maximum de liquide.

Bon, je me dis que côté poumons, j'ai enduré pire qu'une toux. Mais, en un rien de temps, l'air contenu dans mon poumon est complètement aspiré et la toux devient le seul moyen de ne pas m'asphyxier. Je tousse violemment sans réussir à reprendre mon air. Une chance que le docteur continue de me parler de sa voix calme, car je paniquerais.

Puis, comme par magie, la toux cesse, la douleur s'estompe et un poumon sur deux est vidé de son liquide.

Le docteur recommence la même procédure pour traiter le poumon droit, celui que l'on soupçonne d'abriter une infection. Même douleur insupportable, même toux. Il recueille moins de liquide que celui de gauche, mais la couleur foncée est présage d'infection.

Le docteur m'avise qu'il doit remettre le drain en place pour extraire les résidus, car il reste encore un peu de liquide probablement infecté.

Une fois l'installation du drain terminée, on me ramène à ma chambre en me disant que, malgré tout, la situation est sous contrôle et que la cause de ma fièvre est enfin identifiée.

Jour 34 - Marie-Sol

Le spécialiste du poumon est venu à la chambre pour m'injecter un genre de concentré d'antibiotiques pour tenter d'éliminer l'infection. Ça n'a pas fait trop mal et nous connaîtrons les résultats d'ici deux ou trois jours. Je suis un peu déprimée. J'avais vraiment imaginé que mes poumons étaient guéris et que le pire était passé.

Cette infection vient complètement me désillusionner. J'ai peur que l'on repousse continuellement les amputations et que je reste captive de l'hôpital, à pourrir littéralement de partout.

C'est toujours dans ces moments plus noirs que l'étourdissante question du *pourquoi* et des *j'aurais donc dû* reprennent leur danse infernale dans ma tête. Les larmes coulent automatiquement sans qu'elles changent quoi que ce soit à ma cruelle immobilité.

Une chance que mon amour est à mes côtés. Je ne sais pas ce que je ferais sans lui. Les enfants sont merveilleux aussi et ils traversent la situation comme des champions. Mon plus jeune, Louis-Matis, garde un peu ses distances. Nous voyons bien qu'il apprivoise tranquillement sa nouvelle maman alitée et complètement recouverte de draps pour cacher ses membres. Ludovic reste souriant et très content de me voir. Ça nous fait tous un très grand bien d'être réunis, de faire des blagues et de discuter de nos journées.

Chaque semaine, mes parents aussi viennent me visiter. Nous avons fini par trouver le moment idéal entre mes traitements, les changements de pansements, la dialyse et les examens.

Parfois, je suis si fatiguée après une dialyse que je dois dormir, même si Alin est assis à côté de moi. Il en profite alors lui aussi pour faire une petite sieste à même le fauteuil d'appoint. Ces moments sont réellement des plus récupérateurs. Si seulement je pouvais guérir de cette infection et être amputée pour passer à une autre étape !

Jour 36 - Marie-Sol

Je passe en salle d'opération au tout début de la matinée. Plus tôt, j'attendais avec impatience mon meilleur moment de la journée : le petit-déjeuner servi par mon amoureux. Alors que je m'apprêtais à prendre une bouchée de ces appétissants croissants, un préposé m'informe que je dois rester à jeun. C'est fou comme ces petits rituels deviennent si importants. Je n'ai pas le temps de rester longtemps déçue puisqu'un autre sentiment proche de l'anxiété prend déjà le relais : je pars immédiatement pour le bloc opératoire.

La dernière fois que je suis passée par ce corridor à la fenestration splendide, j'étais encore intubée. Je me rassure en me disant que je vais tout de même mieux qu'à ce moment-là. Mais une salle de chirurgie reste tout de même très impressionnante et je respire le plus tranquillement possible pour contrôler mon stress.

Pour éviter de regarder la table remplie d'instruments de métal au fond de la pièce, je parcours le plafond des yeux. La méga grosse lampe aux quatre globes monstrueux m'effraie davantage. Mon pouls est branché sur un haut-parleur et dès qu'il s'accélère, l'assistante-anesthésiste vient m'aider à me calmer et ralentir le tempo de mon cœur.

J'aperçois un tableau blanc où mon nom est inscrit au feutre. Il y est aussi indiqué la nature de l'opération en cours : débridement des quatre membres + V.A.C. x 4 + drainage pleural droit et gauche.

Grosse journée! Mon chirurgien m'avait déjà parlé de ces pansements qu'ils appellent V.A.C. (*Vacuum Assisted Closure*, traitement des plaies par pression négative), mais je ne sais pas trop de quoi il en retourne. La réussite du drainage des poumons est primordiale. Si, après cette ultime tentative, il reste de l'infection, on devra m'opérer aux poumons.

L'équipe est en place autour de mon lit. Je suis alors transférée sur la table d'opération à l'aide d'un rouleau. La dernière fois, j'avais été endormie plus rapidement et je n'avais pas eu connaissance de cette douloureuse étape. Une fois bien en place, on attache mes membres aux quatre extensions de la table prévue à cette fin. Les infirmières s'affairent à déballer les vieux pansements quand, enfin, l'anesthésiste arrive. Masque d'oxygène et intraveineuse en place, le décompte est amorcé. 10-9-8-7-6-5-4...

[Alin]

J'attends patiemment le retour de ma valeureuse combattante. Après sept heures et demie en salle d'opération, la voilà qui arrive. Elle va bien, malgré la fatigue. L'opération s'est bien déroulée et il semble qu'ils aient réussi à supprimer l'infection lors du drainage pleural. Sol ne devrait donc pas être opérée aux poumons, si l'infection ne revient pas.

Je passe l'après-midi auprès d'elle et, périodiquement, elle s'endort et se réveille tout au long de la journée. Même après autant de sommeil, elle dort encore. Ah! les jeunes d'aujourd'hui, ça dort tout le temps! Le néphrologue passe nous voir pour nous annoncer une bonne nouvelle. Le taux de créatine est en baisse et c'est un bon indice qui indique que les reins reprennent de la vigueur. L'heure du souper approche : hambourgeois pour moi et une gélatine aux cerises pour Sol. Que la vie est belle dans toute sa simplicité!

Jour 37 - [Alin]

Je ne suis pas particulièrement superstitieux, mais aujourd'hui, c'est tout un vendredi treize! Tout d'abord, il fait très chaud à l'intérieur des murs de l'hôpital. Le printemps est plutôt précoce et le chauffage dans l'édifice fonctionne toujours. Pour Sol qui a continuellement chaud, ce n'est pas évident de tolérer cette chaleur. En plus de se plaindre de la température ambiante, Sol doit endurer une petite égratignure de la cornée sous la paupière de son œil gauche. La cause reste un mystère pour l'ophtalmologiste qui lui prescrit un onguent. Mais à force d'investiguer, on m'explique qu'on utilise parfois des adhésifs pour que les yeux des patients restent fermés lors des opérations sous anesthésie générale. L'explication est logique puisque ce n'est que depuis hier, lors de son retour du bloc opératoire, que cet œil lui fait mal.

Et comme si les inconforts que ma douce doit endurer n'étaient pas suffisants, durant sa dialyse, elle subit un puissant choc vagal. Sans avertissement, sa pression chute rapidement, à la limite de la perte de conscience.

Au premier signe de faiblesse, j'appelle à l'aide. Sol est blanche comme un drap et semble sur le point de vomir. Son niveau d'hémoglobine est trop bas et les infirmières ajustent la dialyse en conséquence. Deux culots de sang plus tard, la transfusée se porte un peu mieux.

La journée n'étant pas terminée, il fallait qu'une dernière nouvelle vienne nous assommer. Le médecin est venu nous dire que si tout allait bien, Marie-Sol devrait obtenir son congé d'hôpital vers le mois de septembre. Septembre! C'est dans cinq mois! L'idée de passer tout le printemps et tout l'été dans ces conditions nous déprime! En plus, nous apprenons que le lendemain, Sol doit retourner au bloc opératoire pour que déjà on procède aux changements de ses pansements V.A.C.

Jour 38 - Marie-Sol

Je me suis réjouie trop vite. Je croyais que ce serait bien de ne plus avoir à endurer l'horrible spectacle de mes membres cadavériques lors des changements de pansements. Mais j'ai bien vite constaté que c'était peu en comparaison des trois visites au bloc opératoire par semaine que nécessitent les changements de pansements V.A.C. Tant que mes plaies n'auront pas assez granulé par le fond et ainsi permettre la régénération de la peau, je devrai être anesthésiée chaque fois. Les éponges qui recueillent les liquides lymphatiques sont tellement grandes pour couvrir autant de zone affectée que les décoller sans anesthésie générale serait une procédure inhumaine à endurer.

C'est vraiment très désagréable d'être rattachée à des tuyaux transparents à quatre petits moteurs. Ils drainent continuellement les déchets produits par mes plaies profondes et entreposent ce liquide dégoûtant dans leur réservoir respectif. Pourquoi faut-il que les tubes soient toujours transparents? Qui aime voir passer ces saletés tout au long de leur trajectoire? La pression négative produite par l'aspiration des pansements V.A.C. en place me serre les membres et je ressens encore plus d'engourdissement et de picotement.

Heureusement, j'ai confiance en mon chirurgien orthopédiste. C'est un grand homme baraqué, un peu distant, mais qui camoufle une grande empathie. Je suis certaine qu'il a raison lorsqu'il affirme que les V.A.C. accélèrent de beaucoup la guérison des tissus endommagés par le passage de la bactérie mangeuse de chair. J'aborde donc la salle de chirurgie sous un autre angle, en priant de guérir rapidement.

Jour 39 - Alin

Ce soir, c'est la fête et nous nous gâtons! Les enfants et moi apportons du poulet rôti à l'hôpital pour un souper en famille. Nous célébrons l'une des plus belles nouvelles depuis le début de notre aventure cauchemardesque. Il ne reste qu'une dialyse et ensuite c'est F-I-N-I! Fini la dialyse! Les reins reprennent de la force et recommencent à faire leur travail. Bien sûr, nous essayons de ne pas nous créer d'illusions, car nous sommes encore juste au stade d'insuffisance rénale et que l'on remplace un appareil par des médicaments. Les reins de Sol ne sont peut-être pas complètement guéris, mais cette merveilleuse nouvelle veut au moins dire que nous n'aurons pas à aller trois fois par semaine à l'hôpital pour aller en dialyse!

Jour 40 - Marie-Sol

Mes reins ont repris leur inestimable service. Je surfe encore sur cette magistrale bonne nouvelle qu'est l'arrêt des traitements de dialyse. Je reprends confiance en mon corps.

Je continue ma visualisation positive de guérison. J'ai tant parlé à mes poumons, à mes reins, à ma peau, en leur envoyant mentalement des encouragements, que je suis certaine que ces pensées positives ont aidé ma cause. Je respire beaucoup mieux. Nous sommes venus à bout de l'infection et de l'accumulation du liquide dans mes poumons. Mes reins travaillent fort pour revenir d'entre les morts. Mes plaies se font constamment solliciter par les V.A.C. pour guérir.

Aujourd'hui, on m'amène visiter le sous-sol de l'hôpital. Je vais passer un échocardiogramme dans le but de confirmer que mon cœur n'a pas été endommagé par les épreuves physiques des dernières semaines.

Il semblerait que le cadre de porte de la salle d'examen est trop étroit pour mon lit. On me transfère donc sur une civière. C'est une étape très douloureuse pour moi, car mes membres nécrosés suivent difficilement et mes genoux me font souffrir lors de chaque déplacement. Il y a déjà tous les changements de literie, l'utilisation fréquente de la bassine et les exercices de physiothérapie qui sollicitent les endroits douloureux.

Le confort de mon lit me manque encore plus quand le brancardier passe sur des seuils de porte, si petits soient-ils. On roule, sans la douceur d'une bonne suspension, jusque dans les profondeurs du bâtiment pour passer mon examen. De ma position couchée, je vois bien les multiples tuyaux du plafond déjà bas. Il fait très chaud et l'atmosphère est étouffante. Même si rien ne laisse présumer que des séquelles ont été occasionnées à mon cœur, je suis tout de même nerveuse.

Le cardiologue est franchement peu agréable. J'ai de la difficulté à comprendre ce qu'il marmonne tant son ton de voix est sec et que son approche est froide. Il semble contrarié par le fait que l'examen doit se dérouler pendant que je suis couchée sur le dos. J'ai tellement envie de lui crier par la tête que je suis la première à être navrée qu'il me soit impossible de m'assoir, mais je garde cette frustration pour moi.

L'examen complété, je comprends que tout est normal. On pousse ma civière en direction de l'ascenseur. Au fur et à mesure que l'on remonte les étages de l'hôpital, mon cœur devient de plus en plus léger.

Jour 41 - Marie-Sol

Déjà de retour en salle d'opération. Encore à jeun. Anesthésie générale et hop le réveil. Je supporte quand même bien ce désagrément, mais mon appétit est complètement débalancé. Pas de déjeuner, ni de diner, les jours de changements des V.A.C.

Si je suis chanceuse et que je recommence à avoir de l'appétit à 17 h piles, au moment où les plateaux sont distribués, je peux alors manger autre chose qu'une gélatine aux fruits ou un yogourt ou pire, une boisson protéinée. Mais souvent, le fumet qui se dégage du plateau n'est pas très appétissant et me soulève le cœur. Donc, je n'arrive pas à manger.

Depuis quelque temps, on m'assoit à l'heure du repas à l'aide du lève-personne. Être assise me donne de puissants vertiges et je n'arrive pas à retrouver l'appétit les jours de congé du bloc opératoire.

Si ce n'était pas des petites douceurs que mon conjoint m'offre, je finirais par dépérir. Parfois, il m'apporte d'excellentes salades de différentes sortes provenant de la cafétéria de l'hôpital. Je rêve d'être devant ce buffet de verdure et de choisir une multitude de variétés d'aliments aux couleurs appétissantes!

Pourquoi ne nous sert-on pas à nous, les patients, des aliments frais et croquants au lieu des repas gris et mouillés par la condensation du couvercle de l'assiette?

Jour 42 - Marie-Sol

À chacune des visites des enfants, je sens le contact revenir peu à peu avec Louis-Matis.

Au début, il était toujours collé sur son papa, m'observant de loin pendant que son grand frère se plantait tout droit et bien fier à mes côtés pour me raconter les péripéties de sa jeune vie. Maintenant, mon petit Louis se rapproche un peu plus de mon lit offrant ainsi une saine compétition à Ludovic.

Avoir ma famille autour de moi me procure tellement de réconfort.

Même si ma petite chambre est vite remplie et qu'il manque d'espace pour contenir la fougue de deux jeunes garçons, ce temps m'est très précieux et compense les bienfaits de quelque thérapie que ce soit. Ils me donnent le courage et l'énergie nécessaires pour traverser les épreuves à venir. Que je les aime!

Jour 44 - Alin

Un autre après-midi au bloc opératoire pour changer les pansements V.A.C. La peau se régénère bien sur les bras, mais un peu moins sur les jambes. Encore une semaine à attendre et les médecins seront un peu plus fixés à propos des dates des amputations, et plus précisément sur l'endroit où se situera la ligne de coupe.

Pour l'instant, si la tendance se maintient, les bras seraient coupés près des poignets, tandis que rien n'est encore défini quant aux jambes. Nous gardons le focus sur le futur tout en vivant notre moment présent.

Jour 45 - Alin

Petit samedi tranquille. Ludovic est au cinéma avec ses amis. Louis-Matis et moi faisons du ménage à la maison avant de rejoindre Sol à l'hôpital. Nous continuons notre beau travail en lavant les cheveux de sa maman. Elle est aux anges. Elle profite au maximum de ce petit bonheur. Louis et moi sommes aux petits soins pour elle. Ce moment n'est pas seulement bénéfique pour Sol, il l'est tout autant pour la quiétude de Louis-Matis.

De retour à la maison avec les deux garçons, je les mets au lit après une belle journée remplie de petits bonheurs au profit de chacun.

En fin de soirée, je reçois un appel téléphonique de l'hôpital. La nouvelle est tombée : demain, les premières amputations auront lieu. Le chirurgien commencera par les jambes.

☞ LES AMPUTATIONS ☜

Jour 46 - Marie-Sol

Ça y est, on y est! Ce matin, je vais encore au bloc opératoire, mais cette fois-ci, je vais revenir avec mes deux jambes en moins. Hier, quand mon chirurgien est venu m'annoncer la nouvelle, je suis tout de même restée bouche bée. Ça fait longtemps que je suis prête et que j'attends cette délivrance. Mais là, c'est du sérieux; c'est aujourd'hui que ça se passe.

Je me sens nerveuse. J'avance vraiment vers l'inconnu. Je souhaite de tout mon coeur que tout se passe bien et que l'opération soit un succès. Hormis le fait que je ne traînerai plus ces deux énormes boulets, c'est épouvantable d'entrer volontairement dans une pièce pour en ressortir réduite. Je suis néanmoins déterminée à en finir avec ce qui était jadis mes belles grandes jambes.

Adieu mes jambes, vous qui m'avez si bien servie. Adieu les balades en montagne, adieu les marches en forêt, adieu la bicyclette...

La tristesse dans l'âme, j'attends à côté des autres patients. Nos lits, collés les uns aux autres, sont tous numérotés pour suivre leur tour. Chaque fois que je suis dans cette salle d'attente, je remarque que rares sont les patients qui ont mon âge. Tant mieux, c'est certain, mais je me sens bien jeune pour être aussi mal en point. Je sais d'emblée qu'une fois amputée, ça va aller mieux. Débarrassée de mes *corps morts*, je pourrai enfin passer à l'étape de la reconstruction autant physique que morale.

C'est maintenant à mon tour. On roule vers la porte double qui donne accès au corridor lumineux avant d'arriver à la salle de chirurgie. Je cherche du regard le tableau qui affiche l'opération en cours, presque pour aller y chercher une confirmation que mes amputations sont bien réelles. C'est la mention *désarticulation des genoux droit et gauche* qui voisine mon nom écrit au crayon feutre! Mon cœur, branché en stéréophonie, donne le rythme à l'équipe médicale qui s'active autour de moi. Je suis couchée sur la table d'opération, suréclairée par d'énormes projecteurs.

J'aperçois l'assistante-anesthésiste qui apparaît dans mon champ de vision, mais à l'envers, au-dessus de ma tête. Elle me parle doucement tout en branchant son matériel. Une voix calme et douce doit être un prérequis pour faire ce métier, puisque maintenant l'anesthésiste en chef me parle avec une voix tout aussi suave.

Dans le décompte final, je pense à mon amour qui m'attend de l'autre côté du sommeil provoqué. J'ai déjà hâte d'y être pour que cette étape fasse partie du passé!

Se réveiller d'une opération importante est une expérience assez désagréable. Aux premiers signes d'activité, on enlève le tube dans ma gorge. Plus petit que l'énorme tuyau du début, je le sens quand même passer lorsque les infirmières de la salle de réveil l'extirpent de mes poumons. Puis, mes yeux s'ouvrent lentement. Je me sens mal, je suis étourdie comme si je sortais d'un manège.

Ma première pensée va pour mes jambes. Où ont-ils coupé? Pourquoi est-ce que je ne ressens rien de différent qui me donnerait une idée de la hauteur des amputations ? Je sens les mêmes picotements et engourdissements jusque dans les orteils de la même manière qu'avant l'opération. Mais la portion vivante de mes cuisses me fait savoir, sans miséricorde, que l'opération a eu lieu. Plus les vapeurs de l'anesthésie disparaissent, plus la douleur augmente jusqu'à devenir insoutenable. Je pleure, j'ai mal... les élancements finissent par se calmer à grands coups de narcotiques.

Les cadrans lumineux de la salle de réveil me rappellent qu'Alin m'attend probablement déjà dans ma chambre. Ma pression se régularise. Les infirmières souriantes de la salle de réveil me préparent déjà à réintégrer mon repaire. J'arrive mon cœur !

[Alin]

Un bien long dimanche pour moi. J'attends anxieusement toute la journée. J'espère tant que l'opération soit réussie. Au bout de longues heures à me morfondre, je vois enfin Sol arriver.

Mes souhaits ont été exaucés : ils ont réussi à désarticuler les genoux, c'est-à-dire qu'ils ont retiré la rotule et enlevé le tibia et n'ont donc pas eu besoin de couper le fémur, ce qui est une excellente nouvelle. Cette coupe facilitera l'appareillage des prothèses. Dans les circonstances, il s'agit là d'une grande nouvelle pour notre futur.

Ma belle a mal et ça me fend le cœur de ne pouvoir rien y faire. Elle a surtout des douleurs *fantômes* au niveau des pieds, et cela, même si la morphine agit. Malgré tout, son moral n'est pas au plus bas et comme elle le dit avec humour :

– Au moins, mes jambes mortes ne sont plus dans les jambes !

Jour 47 - Marie-Sol

Ça m'élance dans les cuisses. La physiothérapeute vient de partir. Elle avait l'air tellement contente de pouvoir faire bouger mes moignons. Nous avons peut-être forcé la note. Je sais bien qu'il faut que je retrouve de la souplesse, mais était-ce bien nécessaire de pousser l'exercice aussi loin, dès le lendemain de l'opération? L'envahissement de l'acide lactique dans mes muscles me prouve que c'était exagéré. J'essaie de retenir mes larmes, mais c'est trop de douleur à gérer. J'éclate en sanglots. Je sonne pour avoir une dose de morphine supplémentaire.

Il y a quelque temps, j'ai rencontré le docteur qui s'occupe de prescrire les narcotiques pour combattre justement ces poussées de douleur. J'ai donc droit à des demi-doses entre les prises de médicaments longue durée. J'attends patiemment qu'une infirmière réponde à mon appel.

Après une vingtaine de minutes, lorsqu'elle arrive, je suis presqu'à l'agonie tant la souffrance est intense. Je pleure comme une *Madeleine,* essayant d'expliquer que la séance de physiothérapie provoque des répercussions intolérables. J'ai droit à des remontrances de sa part. Elle suppose que ça ne doit pas être si souffrant et me dit d'attendre à la prochaine tournée des médicaments. Pour patienter durant ces heures d'attente, elle me propose des acétaminophènes.

Comment peut-on être aussi indifférent devant une telle détresse? Je sais que je suis un cas lourd pour l'étage et que je demande sûrement beaucoup plus de temps qu'un autre patient. Pourtant, je suis toujours souriante avec le personnel et je tente de rassembler mes besoins en un seul appel, question d'appeler à l'aide le moins souvent possible.

Généralement, les infirmières et préposés sont très gentils avec moi et, très souvent, elles repartent de ma chambre de bonne humeur. Mais aujourd'hui, et particulièrement aujourd'hui, il fallait que je tombe sur cette personne qui semble prendre mes pleurs pour des caprices.

– Regarde dans mon dossier, lui dis-je à travers mes larmes de colère. J'ai droit à une demi-dose, je n'en ai jamais eu besoin, mais cette fois-ci, j'ai trop mal!

Elle repart, l'air contrarié. Elle revient quelques minutes plus tard.

– Bon, tu peux prendre cette morphine, si c'est vrai que tu as autant mal, me dit-elle froidement, tout en me faisant avaler une petite pilule bleue.

Longtemps après, la morphine commence à faire son effet.

Jour 48 - Marie-Sol

Nous vivons réellement des montagnes russes, mais sans les réjouissances des grandes foires. Inquiétude, soulagement, mobilité regagnée, douleurs extrêmes, petites joies, grande tristesse et surprises...

Parfois, ce sont des mauvaises surprises, mais cette fois-ci, le néphrologue m'apporte la meilleure des nouvelles.

Il nous annonce à Alin et moi que mes reins sont complètement guéris!

Les dernières prises de sang ont été très concluantes : les déchets dans le sang sont bel et bien entièrement filtrés par mes deux reins qui ont retrouvé 100 % de leur efficacité. Ses paroles sont de la musique à nos oreilles.

C'est la fête dans ma chambre, Nous crions de joie et nous rions de bon cœur. Nous en pleurons de soulagement. J'ai peine à le croire.

Un miracle s'est produit. Je n'aurai même pas besoin de prendre des médicaments, ni de m'astreindre à un régime particulier. Pour la gourmande que je suis, c'est une réelle délivrance de savoir qu'une fois sortie d'ici, je pourrai manger, sainement oui, mais sans privation.

[Alin]

Autant nous avons été une longue période de temps à attendre sans que rien ne se passe, autant maintenant la vie va vite !

Ça ne fait que trois jours que ses jambes ont été amputées et voilà que nous apprenons que demain, c'est au tour de ses avant-bras de l'être. La guérison totale des reins nous stimule à attaquer cette dernière étape avant la reconstruction tant désirée.

Jour 49 - Marie-Sol

Ouf ! Mes mains seront amputées aujourd'hui. La tristesse que je ressens est indescriptible.

J'aimais mes mains. Personne ne pense à elles habituellement, mais moi je les ai toujours chéries.

Grâce à elles, je suis devenue une artiste. J'ai tant écrit, dessiné, peint, modelé et sculpté avec elles. Je me suis accomplie et j'ai gagné ma vie grâce à elles.

Je pense aussi à tous les petits bonheurs de la vie que me procuraient mes mains. La tendresse d'une caresse sur la joue d'un bébé, passer les doigts dans les cheveux de mon amoureux, tenir la main de mes enfants, enfouir mes doigts dans le sable fin, gratouiller le bedon d'un chat, me lécher le bout des doigts en effectuant une recette... les exemples de réconfort que procure le sens du toucher sont infinis.

Mais ce qui se cache sous les bandages ne sont plus mes mains. Je les ai suffisamment regardées lors des changements de pansements pour en être convaincue.

À une certaine occasion, on m'a ramenée du bloc opératoire les mains à découvert. Elles étaient tellement mortes que les V.A.C. n'auraient eu aucun effet sur elles, mais le personnel infirmier les a néanmoins toujours recouvertes de bandages. Sauf cette fois-là.

Je ne m'attendais pas à revoir mes mains nécrosées depuis que les changements de pansements se faisaient sous anesthésie générale. Je m'attendais encore moins de les apercevoir sous les draps lors d'un réveil. Heureusement, une des infirmières de l'étage était rapidement venue les recouvrir à ma demande.

Présentement, je ne les vois pas et je ne les verrai plus jamais. Même pas dans mes rêves, puisque j'ai vécu le cauchemar réveillée assez longtemps pour exorciser ces images d'horreur.

J'attends anxieusement que ce soit mon tour. J'ai le sentiment pénible de perdre ce qui m'a toujours permis de m'exprimer. Ma seule consolation, c'est que ce sont les dernières amputations. Je garde en tête mon ultime objectif : retourner à la maison avec les miens, les êtres les plus chers à mon cœur.

[Alin]

Très grosse journée, mais la soirée l'est encore davantage. L'opération s'est bien passée du point de vue médical, mais de notre côté, nous avons eu une énorme déception.

Dès son réveil, nous avons tout de suite constaté qu'ils ont dû en couper un peu plus que prévu. Au lieu d'être amputée près du poignet, c'est plutôt à proximité du coude qu'ils ont dû couper. Pourtant, dans les derniers jours, la peau se régénérait bien jusqu'au poignet ce qui laissait présager qu'ils pourraient n'amputer que les mains.

Le chirurgien est venu nous expliquer que durant l'opération, son équipe et lui ont constaté avec consternation qu'il y avait trop de nécrose sous la peau. De plus, les os cubitaux étaient pourris jusqu'à la moelle.

Cette complication ne leur a donc pas laissé d'autre choix que celui de couper graduellement, jusqu'à ce qu'ils tombent sur une portion suffisamment saine pour bien refermer.

Bon, au moins les coudes sont sauvés, ce qui permettra d'appareiller des prothèses plus facilement. L'autre point positif est que la renaissance peut s'amorcer, les morceaux morts ayant tous été supprimés.

Peu de temps après le départ du chirurgien, Sol a tout à coup eu un haut-le-cœur. J'ai à peine le temps de réagir qu'elle se met à vomir. Les anesthésies ont souvent cet effet secondaire et j'ai le réflexe de lui tendre un haricot, petit contenant prévu à cette fin. Je crie à l'aide, mais personne ne vient. Ma belle vomit beaucoup. Personne ne vient à notre rescousse et le récipient déborde. Je hurle à nouveau. Une préposée finit par se présenter. Je veux bien croire que je suis souvent là pour pallier au manque de personnel, mais j'ai tout de même des limites.

J'ai donné le plus de repas possible à la femme de ma vie, j'ai aidé à changer sa literie, ses jaquettes, j'ai installé la bassine plusieurs fois, je l'ai lavée moi-même à la débarbouillette après que trois jours se soient écoulés sans que les préposés en aient eu le temps. J'ai donné mon maximum et même plus, mais là, c'en est trop.

Une fois son état de santé stabilisé, je me dirige vers le bureau de la responsable de l'étage. J'ai la ferme intention d'obtenir de meilleurs soins pour ma belle, compte tenu de la gravité de la situation. Surtout, si on considère la précarité dans laquelle on venait de la ramener à sa chambre.

Jour 50 - Marie-Sol

Que de souffrances m'affligent en ce moment! La mélancolie d'être amputée très court accapare mon cœur en plus des élancements épouvantables dans les moignons. Je ne sais plus comment les placer pour diminuer la douleur. Alin est si attentionné envers moi : il déplace les oreillers pour en ajuster l'angle et la hauteur, mais quelques secondes après la nouvelle position, le supplice recommence à nouveau.

Je pensais avoir vécu le pire, mais en soirée, je reçois la visite du chirurgien. Il est très inquiet par rapport aux moignons des jambes. Il a refermé les tissus avec ce qu'il pouvait, mais au moment où il terminait l'opération, il était déjà presque convaincu que la guérison ne se ferait pas.

Quelques jours ont passé et ses craintes que de l'infection apparaisse dans les tissus nécrosés l'empêchaient de dormir. Le lendemain, ils examineront les plaies lors du changement des pansements. Si ses doutes se confirment, deux options s'offriront à moi : soit je conserve l'articulation du genou et je risque de retomber malade à cause de l'infection et de revenir à la case départ ou j'accepte de me faire amputer les cuisses un peu plus haut.

C'est là que le bât blesse : il ne sait pas jusqu'où il devra couper. La longueur de la portion restante sera une surprise. J'espère tant qu'elle ne sera pas une autre des pires surprises de ma vie.

Jour 51 - Alin

Le verdict est tombé. Il faut qu'elle soit opérée à nouveau. Après son passage au bloc opératoire d'aujourd'hui, les médecins ont constaté qu'il y a bel et bien un risque d'infection aux cuisses. Je suis tellement triste, mais comme le dit si bien la chanson de Jean-Pierre Ferland *une chance qu'on s'a* et que notre amour est fort. J'ai juste envie d'hurler ma peine, mais tout ce qui sort c'est : « Je t'aime Sol ».

Jour 52 - Alin

Sol m'a rejoint au téléphone grâce à une préposée. Je commence à m'habituer aux nouvelles de fin de soirée. Finalement, ce sera le lendemain matin à neuf heures qu'on l'amènera au bloc opératoire pour la dernière amputation. Nous nous croisons les doigts quant à la longueur que le chirurgien pourra sauver. Elle était d'une telle sérénité! Cette femme est non seulement une battante, mais elle est surtout dotée d'une soif de vivre comme il ne m'a jamais été permis de le voir. Sol, tu es ma douce moitié, mais tu es surtout une inspiration pour moi. Je t'aime mon cœur, et je serai toujours là pour toi. Tu peux compter sur moi.

Jour 53 - Marie-Sol

Même si j'avais eu le droit de manger avant l'opération, j'en aurais été incapable. Mon ventre est tenaillé par la peur. La possibilité de me réveiller avec des membres trop courts m'angoisse au plus haut point.

Je puise mon courage en pensant à mes petits garçons qui attendent patiemment le retour de leur maman à la maison.

Le soutien moral de mon amoureux est essentiel à ma survie. Les encouragements nous proviennent de partout. Je sens que cette énergie provenant des ondes positives de tant de gens m'aide à m'acheminer vers une guérison.

Je refais le parcours vers les salles de chirurgie pour la énième fois. On place mon lit à l'entrée de celle où je serai amputée à nouveau, à partir de la portion restante de mes jambes. Le personnel termine la désinfection des lieux.

Par la grande fenêtre, j'aperçois une araignée dans sa gigantesque toile fabriquée à l'extérieur des murs de l'hôpital. J'essaie de me rappeler du proverbe... araignée du matin, chagrin, araignée du soir, espoir. Je ne sais plus trop ce que ça signifie, mais il est vrai que mon matin est rempli de tristesse. Il ne me reste plus qu'à espérer et contrôler mes émotions le mieux possible.

Une fois de plus, je repars dans un sommeil artificiel.

L'opération est terminée et je reprends graduellement conscience.

La première chose que je demande à l'infirmière de la salle de réveil est de voir la hauteur des amputations. Aussitôt, elle soulève le drap en dévoilant mes moignons. Quel soulagement! Il semble que je n'ai qu'une dizaine de centimètres en moins. Toute la pression des derniers jours tombe d'un coup. Je vais sûrement pouvoir remarcher, grâce à la longueur de jambe qu'il me reste!

Cette étincelle d'espoir n'est pas de taille pour lutter contre les douleurs qui s'intensifient de seconde en seconde. La souffrance est si terrible que j'ai l'impression de basculer en enfer.

Rapidement, on me donne autant de doses de narcotiques que ma constitution peut en prendre. Malgré cette médication, la douleur est atroce. Les élancements prouvent bien que le fémur est le plus gros os du corps humain, car c'est dix fois plus douloureux que les amputations de mes avant-bras. Tout ce que je vois, ce sont les chiffres lumineux des cadrans accrochés au plafond tourner simultanément.

Un grand laps de temps s'écoule avant de pouvoir être ramenée à ma chambre. Je m'inquiète pour mon amoureux qui attend impatiemment mon retour. J'espère qu'on le rassure et lui dit que l'opération s'est bien déroulée. Si je pouvais juste avoir un peu moins mal pour être apte à le rejoindre!

[Alin]

Ce soir, sur mes joues, coulent deux sortes de larmes. Les premières sont des larmes de joie, car enfin les nécroses ont été vaincues. En plus, ils ont réussi à effectuer de très belles amputations, si je peux m'exprimer ainsi.

Par contre, l'autre sorte de larmes en sont de tristesse à force de voir souffrir la femme de ma vie. C'est intolérable d'être impuissant et de ne pouvoir absolument rien faire d'autre que de la consoler par mon écoute, ma compassion et ma tendresse, en plus de l'aide de narcotiques, bien sûr.

Enfin, je crois que notre calvaire est terminé et que maintenant, nous pouvons commencer cette reconstruction tant souhaitée.

RECONSTRUCTION

Jour 54 - Alin

Ce matin, autour de six heures, je dors encore à la maison. Sol, elle, est déjà réveillée et mange un yogourt ayant en tête de faire plus de physiothérapie pour revenir le plus vite possible à la maison. Quand je suis entré dans sa chambre d'hôpital vers huit heures, elle m'a dit avec le même regard que Rocky dans son film :

— Regarde bien ça, je vais guérir vite et revenir rapidement à la maison.

Et moi de lui répondre :

— Relaxe mon cœur, tu as été amputée hier.

Tout ça pour dire que je crois que le moral de ma championne est bon et que rien ne pourra l'arrêter. Chapeau mon cœur! Tu m'impressionnes au plus haut point. D'autant plus que ce matin, c'est une vraie leçon de vie que tu me donnes par ton courage et ta détermination.

Jour 56 - Marie-Sol

Ce matin, je me réveille avec de fortes sensations aux membres fantômes. Au moment où j'ai été amputée pour la première fois, j'ai rapidement compris que les engourdissements que j'avais confondus avec la revascularisation et des douleurs à la suite des nécroses étaient dus, en fait, aux fameux membres fantômes. Je réalise maintenant que mes jambes et mes mains n'ont pas survécu au choc septique et que, dès mon réveil du coma, il n'y a que des membres fantômes qui m'ont accompagnée. Dire que pendant tout ce temps, aucun des éclairs de douleur que j'ai ressentis à certaines occasions n'étaient réelles. C'est incroyable ce qu'un cerveau peut jouer comme tour!

Mes bras et mes jambes grouillent continuellement de milliers de fourmis invisibles qui prennent le volume de mes membres disparus. Parfois, le fourmillement est moins présent, atténué sans doute par la médication. D'autre fois, comme ce matin, c'est très inconfortable et dérangeant. J'ai l'impression que mes doigts sont recroquevillés les uns par-dessus les autres. Mes pieds fantômes aussi sont bien présents, tellement que si je ferme les yeux, je pourrais penser que rien n'est jamais arrivé et que je suis seulement un peu ankylosée.

Je soupçonne que mes rêves de la nuit embrouillent mon cerveau au réveil, puisque c'est habituellement là que je sens mes membres au plus fort de leur existence spectrale. Je rêve pratiquement chaque nuit. Je rêve que je suis complète et entière comme avant. Je marche dans la nature avec mon amoureux, main dans la main, comme si rien n'était arrivé. Puis, dès que mes yeux s'ouvrent, je retrouve toute ma lucidité. Ma réalité est qu'il me faut faire le deuil de cette vie de plein air qui m'a toujours passionnée.

Jour 58 - Marie-Sol

Depuis que mon preux chevalier s'est battu pour moi, j'ai droit à un service privé de la part de l'hôpital. Ils se sont rendus à l'évidence que mon cas était beaucoup trop lourd pour les ressources en place. Quatre préposés ont été appelés en renfort. Ma merveilleuse nutritionniste s'est aussi battue pour que je puisse manger les excellents plats de la cafétéria. Mon poids était devenu trop précaire. Il fallait trouver une solution pour que revienne mon appétit.

Se faire nourrir tranquillement de bons aliments, ça n'a pas de prix! Ces deux victoires m'apportent beaucoup au plan moral, mais me procurent aussi une énergie nouvelle. Je suis plus que motivée et je fais ma physiothérapie avec bonheur. Ça fait tellement du bien de bouger. Maintenant que je suis libérée des nécroses, je compte bien reprendre le contrôle de mon corps, et cela, une étape à la fois. Chaque effort que je fournis est fait dans le but de me rapprocher un peu plus de ma vie passée.

Je bénéficie de beaucoup de soutien et d'encouragement. Chaque matin, Alin m'apporte notre courrier. Il me lit chaque jour les nombreuses lettres qui nous parviennent de gens touchés par notre histoire. Parfois, les lettres proviennent d'anciens collègues. Cette solidarité qui traverse les années me bouleverse au point d'en pleurer de reconnaissance. J'ai droit à d'autres petits privilèges comme un café fraîchement préparé par les infirmières de la salle de réveil. Elles viennent à tour de rôle m'apporter chaque matin ce breuvage si réconfortant.

Jour 59 - Alin

Ça ne fait que quelques jours que Sol peut vraiment bouger. Elle fait rapidement des progrès. Elle demeure assise dans le fauteuil roulant de plus en plus longtemps. Elle bouge bien les bras et fait même le mouvement du braquage, moignons en l'air. Elle envoie aussi des *bye bye* aux garçons les faisant rire par le fait même.

Mais ce qui me fait le plus chaud au cœur, c'est que depuis déjà deux mois, je n'avais pas encore eu la chance de la serrer dans mes bras. Maintenant, les enfants et moi pouvons à nouveau lui faire de gros câlins. C'est un petit geste banal, mais c'est hallucinant à quel point ça me manquait de la sentir dans mes bras. Enfin, nous pouvons nous coller à nouveau comme deux aimants.

Jour 60 - Alin

Quand je suis entré dans la chambre d'hôpital aujourd'hui, j'ai eu droit à toute une surprise. Ma cousine, qui est aussi une des préposées de Sol, lui a donné un petit cadeau. Je me suis exclamé :

– Wow! Ce sont les plus belles demi-cuisses que je n'ai jamais vues sur une fille!

Ça fait peut-être un peu superficiel de m'exprimer ainsi, mais c'est merveilleux de la voir habillée autrement que dans sa jaquette verte d'hôpital. Elle est toute mignonne vêtue d'un boxer turquoise et d'une camisole bleue. Enfin, de nouvelles couleurs dans notre quotidien qui en a grandement besoin!

Jour 61 - Marie-Sol

Depuis que mon corps s'est débarrassé de ses nécroses, je sens vraiment que je reprends de la vigueur. C'est fou ce qu'elles devaient me demander en énergie. Mes jours d'immobilisation ont fait fondre mes muscles comme neige au soleil. Je dois donc m'entraîner et manger comme une athlète. La guérison des plaies exige à elle seule un menu riche et varié d'environ deux milles calories par jour, favorisant les protéines.

Maintenant que j'ai accès aux nombreuses possibilités de la cafétéria, je suis très coopérative.

En compagnie d'une des préposées du service privé, je me régale en goûtant les nouvelles salades fraîchement préparées d'artichauts et crevettes ou de pois chiche et légumes. Elle me choisit toujours une combinaison nouvelle et, chaque fois, c'est un festin.

C'est vraiment particulier, mais j'ai remarqué que les gens me nourrissent de la même façon dont ils mangent eux-mêmes. Parfois, les bouchées sont grosses et rapides, tandis que celles d'une autre personne sont petites et très espacées. Je constate que manger est un rituel qui comporte un rythme bien personnel à chacun. Ce soir, ma préposée-cuistot a préparé une recette rapide de pâtes au fromage avec tomates fraîches. Ça peut paraître anodin, mais le simple fait que ça goûtait un repas maison, a décuplé mon plaisir et a agi comme un puissant médicament.

Jour 63 - Marie-Sol

Plus je reprends de la mobilité, plus je conscientise l'étendue de mes handicaps. Au début de mon hospitalisation, j'étais trop abattue pour m'en rendre compte, restant allongée comme n'importe quel autre patient.

Puis, à mesure que l'énergie revient, je fais l'amère constatation de mes limites. Je ne peux pas marcher, ni prendre quoi que ce soit avec mes mains. Je ne peux pas non plus me rendre aux toilettes, ni manger par moi-même. Tout ce que je peux faire, c'est d'entraîner ce qui me reste de muscles, tout en priorisant la guérison de toutes mes plaies.

Chaque jour, je me donne à fond avec la physiothérapeute et j'apprécie chaque centimètre gagné en souplesse. Nous en sommes même à mettre des poids sur les moignons pour en accroître la force.

Je n'ai qu'un seul objectif en tête : retourner à la maison.

Jour 66 - Marie-Sol

Le soleil brille de tous ses feux et ses doux rayons rendent la journée merveilleuse. J'ai toujours la même vue du ciel et des toits de l'hôpital. Je ne vois la pluie que lorsqu'elle éclabousse sur la fenêtre.

J'ai une belle chambre décorée de nombreux cadeaux, dont la grande majorité représente l'extérieur tels que des fleurs et des papillons. D'immenses cartes provenant des groupes de mes enfants sont accrochées au mur parmi plusieurs autres affiches colorées. Des fleurs découpées chacune affichant des messages d'encouragement du personnel de l'hôpital ont été accrochées en surprise au plafond, alors que j'étais au bloc opératoire. Ma fenêtre est décorée de belles guirlandes, d'un vitrail et de magnifiques plantes en fleurs ont été déposées sur le rebord. Je suis vraiment choyée d'avoir autant de soutien et de ressentir autant de solidarité.

Toutes ces petites attentions ajoutent un baume sur mon cœur, mais malheureusement, rien ne remplace la liberté de se promener dehors et de ressentir le soleil sur sa peau. Alors que j'aspirais à ce doux moment, une autre de mes préposées est venue m'annoncer son intention que nous allions faire une promenade à l'extérieur.

Nous contactons Alin, question de l'avertir pour qu'il puisse nous rejoindre à l'entrée. La préposée m'habille, me transfère sur le fauteuil roulant à l'aide du lève-personne puis, accroche chaque réservoir V.A.C. et tous les solutés sur un poteau. Toute une entreprise!

Puis, tout près de la sortie, elle m'annonce la distance nous y séparant. Au décompte de dix mètres, je serai dehors! Nous rions comme des gamines. Je suis fébrile de voir enfin le ciel au complet et surtout le soleil si essentiel et réconfortant. Je m'apprête donc à prendre la plus grande bouffée d'air frais pour réjouir mes pauvres poumons lorsque mon odorat m'avertit : pouache! Ça sent la cigarette à plein nez! Je retiens ma respiration, le temps de dépasser l'air pollué des fumeurs.

À peine sortie, je constate que j'avais oublié le bonheur de sentir le vent sur ma peau. Au même instant, je vois mon reflet dans les vitres de l'hôpital. L'étrangeté de mon apparence de quadruple amputée est saisissante. Je comprends le choc que je crée chez les gens que je croise, car moi-même, je suis frappée de stupéfaction.

Heureusement, la joie d'être dehors, pleinement en vie, est plus forte que l'effet bouleversant de ma nouvelle apparence physique. Je balaie le stationnement du regard, à moitié éblouie par le soleil, à la recherche de mon homme. Finalement, je l'aperçois marchant joyeusement dans ma direction. Qu'il est beau! Je suis en train de me féliciter d'avoir cet être d'exception dans ma vie quand, tout à coup, je remarque qu'il tient mes verres fumés dans sa main!

Jour 70 - Marie-Sol

Le cerveau est drôlement bien fait. Je crois que mon subconscient contrôle lui-même les informations qui pénètrent mon conscient au rythme de mon cheminement. C'est toujours douloureux quand des bulles de vérité éclatent dans ma tête.

Aujourd'hui, c'est le souvenir de ma petite forêt derrière notre maison qui m'explose en plein visage telle une grenade ravageuse. Jamais plus je ne pourrai marcher dans ce boisé en famille comme je le faisais auparavant. Ça me crève le cœur et, même si je voulais retenir mes larmes, j'en serais incapable. Je pleure de tout mon saoul devant la constatation de cette nouvelle réalité.

Je reste néanmoins intriguée : comment ai-je pu oublier mon petit bois, notre belle petite forêt où il faisait si bon se promener ? Puis, la bulle révélatrice va rejoindre tranquillement les autres dans la catégorie *des petits deuils à faire.*

Jour 72 - Alin

Sol est encore au bloc opératoire pour la énième fois. J'attends chaque fois de longs moments, seul dans la chambre, à réfléchir aux différentes options qui se présenteront à nous quant à la suite des choses.

Il faudra modifier la maison et adapter les lieux en fonction de cette nouvelle réalité. J'ai en tête une bonne idée de ce qu'il faudra faire pour qu'un fauteuil roulant y circule bien.

Sol revient, son lit étant poussé par deux brancardiers. Ils rebranchent son matelas soufflé, puis repartent aussitôt.

Elle est encore un peu dans les vapeurs de l'anesthésie, mais une bonne nouvelle illumine son visage. Sur quatre V.A.C., il n'en reste que trois, son bras droit ayant été libéré. Nous nous sommes fait notre premier *high-five* de moignon à main en guise de célébration.

Jour 73 - Marie-Sol

Bien que je sache que plusieurs aimeraient venir me rendre visite, je ne me sentais pas encore prête avant aujourd'hui. Heureusement, la majorité d'entre eux ont compris notre besoin de se retrouver d'abord en couple, puis avec nos enfants, avant d'être en mesure de recevoir des visiteurs.

Cette période de temps m'a permis d'accepter cette fatalité et, surtout, d'être assez forte pour confronter les éléments de ma vie passée.

C'est émotivement très difficile pour moi chaque fois que je rencontre une personne qui me voit pour la première fois. La peine que ça provoque chez les autres me fait réaliser ma douleur d'avoir perdu à la fois mes jambes et mes mains. Mais j'ai suivi mon rythme et, à présent, j'ai très envie de rencontrer les gens qui me sont chers.

Mes deux plus proches amies n'attendaient qu'un signal pour descendre de Montréal et venir me voir ici, à Trois-Rivières. Je les avais préalablement averties que mon visage était amaigri, arborant une grosse cicatrice à la lèvre supérieure laissée par l'intubation d'urgence. De plus, bien sûr, c'est tout un choc que d'apercevoir la quadruple amputation. Sur le coup, nous avons toutes éclaté en larmes, prises par les émotions. Puis, le naturel est vite revenu au galop ramenant nos éclats de rire.

Ces filles sont de l'or en barre à mes yeux. Elles sont pour moi comme des sœurs. L'une d'elles a même préparé un repas maison. Nous nous régalons toutes ensemble, jacassant comme avant! Comme moi, elles sont peintres. Il me fait du bien d'échanger mes tristesses avec elles, mais aussi mes espoirs. Alin m'affirme depuis le début qu'un jour, je repeindrai à nouveau. Parfois, je me surprends même à le croire. Il nous rejoint d'ailleurs en après-midi pour finir cette merveilleuse journée sous le soleil au parc de l'hôpital. La vie est belle!

Jour 75 - Alin

Sol revient du bloc opératoire apportant une excellente nouvelle : elle n'a plus aucun pansement V.A.C., ce qui signifie que les greffes ont totalement été réussies lors de l'opération. Nous savions que le plasticien désirait commencer le processus des greffes de peau par son moignon gauche. Mais quelle belle surprise de constater que tout est déjà fait et qu'il ne reste plus que le processus de cicatrisation.

Terminées les fréquentes visites au bloc opératoire. Terminées les anesthésies générales qui assomment littéralement ma beauté. Je fais la joyeuse constatation que nous sommes vraiment au début de la fin du volet hospitalisation.

Jour 77 - Marie-Sol

Je dois prendre mon mal en patience, car je dois rester immobile pour un gros deux semaines, le temps de la cicatrisation des greffes.

Je m'assure de ne pas rester trop immobile et de bouger la tête question de ne pas aggraver les deux plaies de pression, (communément appelées plaies de lit), que je traîne depuis un bon moment déjà.

Alin avait remarqué ces petites plaies à l'arrière de ma tête et il les a souvent montrées aux infirmières sans qu'aucune ne s'en préoccupe.

Ce n'est que lorsque mon amour qui, en me lavant les cheveux, s'est retrouvé avec une pleine poignée de cheveux dans les mains qu'un plan a finalement été élaboré pour contrer ces blessures. Mais, depuis, la situation a dégénéré et les plaies coulent dans leurs pansements.

Je m'étais habituée au confort de manger et, surtout, de digérer assise. J'ai un peu de difficulté d'ingérer des médicaments et de la nourriture en position couchée.

J'ai environ vingt-sept pilules à prendre quotidiennement avec de l'eau. Le tout flotte en surface et c'est souvent la cause de mes vomissements.

Je veux bien reprendre un poids santé, mais il faudrait pouvoir éliminer plusieurs pilules pour y arriver.

En plus, il fait très chaud dans ma chambre. Je sens que l'humidité que cette chaleur crée dans mes bandages n'aide pas tellement à la cicatrisation.

Bien que ces inconforts, additionnés aux douleurs des greffes et des prises de greffes, composent mes journées, je suis néanmoins très heureuse d'être enfin arrivée à cette dernière étape avant mon retour si convoité à la maison.

Jour 80 - Alin

Toute la motivation de ma belle repose sur son puissant besoin de revenir à la maison. Nous en discutons beaucoup ces temps-ci. Nous planifions les incontournables travaux nécessaires au réaménagement de la maison. On nous somme d'attendre la condition finale de Sol avant de faire quoi que ce soit et pratiquement de nous laisser bercer par le système. C'est bien mal nous connaître.

Nous sommes déterminés à retrouver une vie normale le plus vite possible. Nous venons de perdre presque trois mois de notre vie et, plus vite nous adapterons les lieux, plus vite Sol se sentira solide et autonome. Je décide donc de baser mes plans d'aménagement sur le fait probable que, quoiqu'il arrive avec les prothèses, qu'elle se déplacera en fauteuil roulant la majeure partie du temps dans la maison.

Nous savons maintenant que Sol devra, en premier lieu, être appareillée à Montréal pour les membres supérieurs. Elle pourra ensuite revenir à Trois-Rivières pour obtenir des prothèses aux jambes. C'est difficile d'imaginer qu'à peine sortie de l'hôpital, elle devra repartir à nouveau.

Dans notre planification, nous pensons sérieusement nous offrir une bonne pause en famille à la maison avant de repartir pour la réadaptation. Par conséquent, nous devrons voguer contre vents et marées puisque le système de santé transfère systématiquement le patient d'un institut à un autre. Notre petite famille a plus que besoin de se ressourcer.

Jour 84 - Marie-Sol

Ça fait deux fois qu'on évalue mes greffes et tout semblait avoir bien guéri. C'est très douloureux comme opération, car je sens chaque millimètre de pansement décoller de mes prises de greffe.

Je ne sais pas comment j'ai fait pour endurer autant de douleur jusqu'à maintenant, mais cette fois-ci, c'est insoutenable. On dirait que je suis écorchée vivante tellement la douleur est intense. Ça dure une éternité. Même les deux infirmiers n'en peuvent plus.

Au moment où je pensais perdre connaissance, un des deux m'indique qu'il ne reste plus qu'à nettoyer le tout avec de l'eau stérile. Mais avant de recouvrir les plaies, ils doivent appliquer du nitrate d'argent sur les plus boursouflées.

Ça fait tellement mal, c'est comme promener un tison bien rouge sur de la peau à vif. Aucun narcotique n'est assez puissant pour masquer cette douleur intense.

Pour finir la journée, on nous apprend une mauvaise nouvelle : il y a un petit quelque chose d'anormal dans mes derniers prélèvements. Nous n'en savons pas plus. Nous devrons attendre le résultat d'analyses plus avancées avant de nous confirmer de quoi il en retourne.

Les cuisses en feu et l'inquiétude au maximum, je puise dans mon courage pour continuer et attendre patiemment mon retour à une certaine mobilité pour recommencer à aller au petit parc de l'hôpital.

Jour 89 - Alin

Le mystère qui circulait dans le sang de Marie-Sol a été identifié. Ce sont les taux élevés de phosphore, de potassium et de calcium qui interpellent les médecins. Ce n'est rien de bactérien ni de viral, mais ce n'est pas normal pour autant.

En contrepartie, bien des raisons peuvent expliquer ce débalancement; l'arrêt récent des solutés par intraveineuse, la médication trop variée, la guérison des plaies ou une baisse d'hydratation en ces jours de canicule.

Mais ce qui retient notre attention, c'est le très faible pourcentage d'une possibilité que le taux élevé de calcium provienne du cancer des os.

C'est vraiment étrange de réaliser à quel point 1 % des probabilités est peu, mais lorsqu'on rajoute le mot cancer, paf! le 1 % devient plus important que le 99 % d'aucune probabilité. J'essaie de me rassurer qu'un cancer est bien peu probable, mais c'est quand même assez sérieux pour qu'un oncologue investigue et demande à rencontrer Sol.

Jour 91 - Marie-Sol

Environ quarante-huit heures de stress plus tard, l'oncologue vient finalement me voir.

Après un bref interrogatoire et un survol de mon dossier, elle me confirme qu'il n'y a pas de raison suffisante pour soupçonner un cancer et subir une batterie de tests. Fiou! La tension retombe une fois de plus.

J'espère vraiment que c'était le dernier coup de théâtre et que les montagnes russes émotionnelles finiront par arrêter, nos nerfs ne pouvant plus endurer quelque situation stressante que ce soit !

Jour 93 - Alin

J'ai vu ma compagne de vie se faire brancher à toutes sortes d'appareils et de solutés depuis le début de cette terrifiante aventure. Maintenant que le vent a tourné, on enlève les nombreux tuyaux les uns après les autres. Le soluté qui avait été retiré, puis réinstallé pour équilibrer les minéraux, a été soustrait à nouveau. J'en conclus que le taux élevé de phosphore, de potassium et de calcium doit être stabilisé.

Aujourd'hui, c'est un gros morceau qui part. Le dernier cathéter. Celui qui servait principalement à la dialyse est retiré.

Une entrée de moins à surveiller pour l'introduction de bactéries. Je constate tout le chemin parcouru et je regarde droit devant toutes les possibilités qui s'offrent à nous.

Jour 97 - Marie-Sol

La routine : changement des pansements, nitrate d'argent, douleur et le même scénario recommencera dans deux jours.

Comme une prisonnière, mais sans avoir commis quelque crime que ce soit, je fais mon temps.

Ce matin, c'est différent. Les mots d'une vieille chanson de Kathleen tournent en boucle dans ma tête : *Ça va bien!!!* Dans dix jours, mon chirurgien-orthopédiste m'autorisera un congé temporaire de quarante-huit heures pour être présente au sixième anniversaire de naissance de Louis-Matis!

Ça faisait déjà un certain temps que nous en parlions, espérant même un congé définitif. Mes plaies sont encore trop peu cicatrisées pour quitter l'hôpital de façon définitive, mais une pause de tout ce tourbillon dans lequel j'ai été plongée, bien malgré moi il va sans dire, ne peut que m'être bénéfique.

Des larmes de soulagement coulent sur mes joues. Je vais pouvoir promettre à mon petit cœur que je serai auprès de lui pour célébrer son moment.

Jour 102 - Alin

Ma petite espiègle m'a fait toute une surprise pour la fête des pères. Elle s'est réveillée avec la ferme intention de demander un mini congé pour la journée. Avec la collaboration de tous, elle et sa préposée ont réussi à rejoindre son médecin pour obtenir une autorisation de sortie.

J'ai reçu un appel téléphonique et, d'un ton de voix enthousiaste, Sol me fait part de la bonne nouvelle. Je dois avouer que d'être réuni en famille est le plus beau cadeau qu'un père peut espérer. Même la température s'est mise de la partie et le ciel d'un bleu intense permet au magnifique soleil de rayonner de tous ses feux.

Nous avons joué dehors à l'arrière de la maison. Les garçons ont promené leur maman dans son fauteuil roulant. Cette belle journée s'est terminée par un succulent barbecue.

Cette journée aurait été une des plus belles journées de ma vie si ce n'était pas du pincement au cœur que j'ai ressenti en la ramenant à l'hôpital.

Jour 104 - Marie-Sol

Mon congé-éclair a brassé toutes sortes d'émotions en moi. Une immense joie, bien sûr, mais aussi plusieurs petites tristesses. Se retrouver dans la voiture, roulant dans son quartier a un quelque chose d'étrangement émouvant. La vie a naturellement continué d'avancer en mon absence. Je remarque les petits détails qui marquent le passage du temps auquel je n'ai pas assisté.

Tout m'a semblé nouveau, plus beau et plus grand qu'avant. Même notre maison m'a paru différente, mais rapidement, je me suis réconciliée avec ma vie passée. Tout le temps de mon hospitalisation, j'ai eu cette impression de vivre une autre vie, en parallèle, dans une autre dimension. Puis, lorsque je suis entrée chez moi, les deux vies se sont fusionnées, fortifiant cette détermination qui m'habite.

Je crois que mon docteur a senti toute ma gratitude et les bienfaits qu'aurait sur nous cette expédition, car il m'accorde un gros quatre jours au lieu du congé de vingt-quatre heures prévu pour célébrer l'anniversaire de naissance de Louis-Matis.

Que la vie est belle quand on est si bien entouré! Les quelques jours me séparant de ce merveilleux moment me paraissent interminables, surtout depuis que j'ai regoûté à mon bonheur, l'espace d'un après-midi.

Jour 106 - Alin

Comme un enfant, Sol compte les dodos avant de revenir à la maison pour son séjour.

À l'hôpital, le personnel sent l'excitation qui la gagne. Tous se réjouissent pour elle. Le branle-bas de combat va bon train pour que rien ne soit laissé au hasard pour la durée de sa visite. Tout est passé au peigne fin : le matériel, pilules, protocole, puis tout est repassé en revue pour que rien ne manque. J'ai l'impression qu'on se prépare pour une gigantesque expédition tellement il y a de choses à faire et à penser.

Jour 107 - Alin

Avant d'aller chercher leur maman, les enfants et moi préparons la maison pour que Sol se sente bien dès son arrivée. Nous sommes tous fébriles. J'ai l'impression que les enfants ont grandi vite et que son retour à la maison mettra un baume sur leur petit cœur d'enfants échaudés par la situation.

Arrivés dans le stationnement, les enfants se chamaillent quant à savoir qui va la pousser dans son fauteuil roulant. Voilà donc que nous quittons l'hôpital en direction de la maison pour ce long congé.

Je prends alors conscience que c'est le début de bien des nouvelles expériences, mais surtout, c'est le début de plusieurs défis techniques auxquels nous n'avions pas encore été confrontés jusqu'à maintenant.

Le premier défi, asseoir Sol dans la voiture. Ceci fait, nous partons pour la maison. Quelle joie de voir Sol savourer la vie à l'extérieur de l'hôpital!

Ça me fait bizarre de la voir assise, la tête sur le bord de la fenêtre ouverte, savourant le vent qui frappe sa peau et qui inspire l'air à grandes bouffées pour bien en remplir ses poumons. On dirait un chien, la tête au vent, qui respire l'air, simplement, sans se poser de questions et qui apprécie la vie au moment présent.

Jour 109 - Alin

Quel beau week-end! Le soleil, le rire des enfants qui s'amusent à la fête de Louis, la famille réunie et surtout, de l'amour plein le coeur et la tête. Je crois que la plus belle chose dans la vie, c'est d'être avec ceux qu'on aime et de prendre le temps de vivre.

S'il y a un seul petit bémol à cette fin de semaine magique, c'est que je dois jouer à l'infirmier. Donner des pilules, ce n'est pas si mal, mais administrer des piqûres... ouf! Il me faut tout mon courage. Pour que notre championne soit avec nous, je peux arriver à surmonter mes peurs et j'enfonce chaque matin une injection d'anticoagulants dans son abdomen.

Bien sûr, vous comprendrez que j'aurais de loin préféré *jouer au docteur!* Mais bon, une étape à la fois, il faut être infirmier avant d'être docteur.

Jour 110 - Marie-Sol

Mon court séjour à la maison tire déjà à sa fin.

J'ai peine à croire que je suis obligée de retourner à l'hôpital et crever, encore une fois, notre bulle d'amour et de joie, en me séparant d'eux à nouveau.

Il est vrai que mes plaies sont loin d'être guéries. Mais il me semble que si ce ne sont que les changements de pansements qui me retiennent à l'hôpital, nous pourrions facilement nous rendre en clinique externe sur une base hebdomadaire. Nous avons très bien su nous débrouiller à la maison.

Mon Alin est un incroyable compagnon attentionné sur qui je peux compter. Les enfants aussi ont été des amours, eux qui viennent tout juste de commencer leurs vacances estivales.

Mais comme le dit le proverbe, toute bonne chose a une fin. Ma famille vient me reconduire, l'âme en peine. Les enfants sont tristes et leur chagrin me chavire le cœur.

Mon amoureux reste convaincu que je guérirais mieux et plus rapidement si je vivais à la maison. Nous entrons dans ma chambre qui s'est épouvantablement réchauffée durant les derniers jours de plein soleil. J'ai si bien dormi chez nous, dans mon lit et à l'air conditionné !

Une boule d'émotion encore dans la gorge, une préposée de l'étage nous apprend que le service privé m'a été retiré sous prétexte de favoriser mon autonomie. Il faut vraiment ne pas être dans ma peau pour penser que je peux tout à coup développer de l'autonomie dans mon état.

En plus des nombreuses plaies sur tout le bas du corps, j'ai quatre gros pansements qui recouvrent quatre amputations fraîchement faites. S'il existe un endroit qui favoriserait des petits gestes d'autonomie, c'est bien à la maison que je pourrais y arriver, entourée de ma famille.

Sans plus attendre, Alin part s'informer. Il veut rencontrer le docteur et obtenir mon congé. Mon chirurgien orthopédiste est en salle d'opération. Nous devons donc nous armer de patience, encore une fois et attendre pour le voir.

Ma petite famille repart donc avec la conviction que ce n'est qu'une question de quelques jours avant mon retour définitif. Je pleure encore beaucoup après leur départ.

La travailleuse sociale vient me rendre visite. Elle est très gentille, elle dispose d'une très bonne écoute. Elle nous a bien guidés afin de remplir toutes sortes de documents exigés par le gouvernement. Elle m'écoute et je sens toute son empathie envers moi lorsque, soudainement, elle aperçoit mon docteur dans le corridor.

Il vient m'annoncer ce dont j'avais besoin d'entendre, ce que nous avions tous tant besoin d'entendre : je peux rentrer à la maison !

RÉAPPRENDRE À VIVRE

L'été 2012.

Enfin, notre quatuor est de nouveau réuni! Quitter l'hôpital pour de bon nous procure une merveilleuse sensation de liberté. Le vrai bonheur, c'est d'être ensemble à savourer le quotidien. Retrouver ses repères et une certaine routine sont très salutaires pour notre moral après ces quatre *longs* mois d'hospitalisation.

Nous avons décidé, Alin et moi, que je resterais à la maison tout l'été avant de repartir vers Montréal pour la réadaptation.

Nous avons tous profondément besoin de cette pause en famille pour prendre le temps d'apprivoiser cette nouvelle façon de vivre. Je veux recharger mes batteries à fond et reprendre un maximum de force pour mieux entreprendre ma réadaptation. Mon médecin est d'accord avec notre plan de match et il en avertit les gens de l'Institut.

Alin avait pris une année sabbatique pour apprendre à gérer cet énorme changement de vie. Il est tout désigné pour assurer les soins requis par ma situation. Déplacements, hygiène, repas et changements de pansements feront désormais partie de son lot quotidien.

Au début, nous allions à l'hôpital pour que mes plaies soient soignées. Mais plus l'été avance, plus elles guérissent et ne requièrent finalement que des soins à la maison.

Pour Alin, c'est tout un défi de nettoyer les plaies chaque semaine. Il est important de souligner que mes cuisses ont plus de surface à guérir que de peau saine et, qu'en plus des cicatrices aux moignons supérieurs, il y a toujours les deux grosses plaies de pression à la tête. Parmi tous les défis qu'il doit relever, je ne sais pas lequel est le plus difficile pour lui : la préparation des repas ou mes soins de santé.

Pour moi, le défi est complètement à l'opposé. Alors que mon conjoint est débordé avec toutes ces tâches additionnelles, je dois composer avec un cruel sentiment d'invalidité. C'est effectivement très pénible de se retrouver chez soi sans être capable de mettre la main à la pâte surtout que je sais que c'est moi qui lui occasionne tout ce surplus de travail.

Ma seule tâche consiste à dormir sans accrocher les parties séchées de mes plaies qui protègent la nouvelle cicatrisation. C'est un peu plus difficile au niveau de la tête. Mes plaies de pression coulent beaucoup et souillent ma taie d'oreiller chaque nuit. Je perds aussi mes cheveux en grande quantité. Ma longue chevelure me quitte progressivement ce qui m'amène à prendre la décision de me faire raser la tête autant pour égaliser ce qu'il me reste de cheveux que pour fortifier la repousse.

Alin avait installé un quartier général dans le salon durant mon absence. Nous nous sommes vite aperçus que le grand matelas au sol était l'installation idéale me permettant de bouger librement. Je dois réapprendre à m'asseoir toute seule, tout comme un bébé qui acquiert de nouvelles facultés. Mon équilibre est différent maintenant et mes muscles sont encore faibles et quelque peu atrophiés. C'est fou de constater à quel point quelques semaines d'immobilisation ont pu les faire rétrécir. Il est certain qu'il me faudra plusieurs mois pour regagner ma masse musculaire initiale. Bien secondée par un sportif et deux jeunes garçons, j'exécute mes exercices de physiothérapie chaque jour dans la bonne humeur.

Les cicatrices de mes bras ont rapidement guéri et je suis libérée de mes pansements. Ma peau a une meilleure adhérence sur les objets. Cette nouvelle dextérité débloque chez moi un niveau d'autonomie supérieur. Je peux écrire sur une tablette numérique, prendre des verres d'eau et même manger à l'aide d'un bracelet-velcro muni d'une fourchette.

Puis, Alin a toujours voulu me prouver que je pouvais repeindre sans mains. À l'aide de velcro et d'une roulette de ruban adhésif, il attache le crayon autour du moignon. Je me surprends moi-même à dessiner une jolie fleur en griffonnant sur mon papier. Elle est si belle qu'Alin me convainc d'y ajouter de la couleur. Malgré le tiraillement sur ma peau fraîchement guérie, nous changeons les couleurs une à la fois en décollant chaque fois le ruban adhésif. Le résultat en vaut grandement la peine.

Mon œuvre devient beaucoup plus qu'un dessin, elle représente plutôt un symbole de renaissance. La vie est remplie de belles surprises. Les sentiments de fierté et d'espoir sont si merveilleux à vivre.

L'été est particulièrement beau et chaud cette année. Comme bien d'autres, la saison estivale est ma préférée. J'ai toujours particulièrement aimé la natation. Même si je ne peux pas me baigner avec les garçons, j'apprécie le fait d'être à l'extérieur et de savourer ce temps précieux à l'ombre des arbres. Pour la première fois de sa vie, mon plus jeune nage seul. Je suis très heureuse d'être en vie pour assister à ses exploits. Je sais que ce n'est qu'une question de temps avant que ma guérison me permette d'aller les rejoindre dans l'eau.

En attendant de pouvoir goûter à ce bonheur, mon amoureux nous amène faire une petite balade en forêt. Ce n'est pas un parcours sans peine, mais Alin est déterminé à me procurer cette merveilleuse sensation d'être en pleine nature. Il pousse mon fauteuil roulant contournant les arbres, sur un sol truffé de racines. Quelle sérénité baigne ces lieux! Les forêts sont propices au ressourcement.

À la fin de l'été, mes plaies ont suffisamment guéri pour me permettre de me baigner dans la piscine. Après un combat ardu et sans relâche pour réchauffer l'eau durant les derniers jours de l'été, mon amoureux a réussi à obtenir un fabuleux vingt et un degrés Celsius me permettant ainsi de goûter à ce plaisir au moins une fois. Intense et froide sont les mots qui décriraient bien la baignade de cet après-midi-là. Durant une dizaine de minutes, nous avons savouré ensemble ce moment exaltant.

Réadaptation

Notre pause guérison en famille prend fin. De loin, la meilleure décision de notre vie a été celle de prendre ce temps pour nous retrouver.

Je suis maintenant prête à entreprendre un autre défi de mon escalade, celui d'acquérir et d'apprendre à gérer mes nouveaux outils. La rentrée scolaire des enfants s'est très bien déroulée. Les travaux d'adaptation domiciliaire vont bon train.

C'est fantastique de constater à quel point notre entourage et la communauté sont solidaires envers nous. Grâce à toute cette incroyable entraide, nous avons eu la chance de rendre notre maison fonctionnelle et adaptée à notre nouvelle réalité. Les encouragements continuent d'affluer. Tout ce soutien nous fait très chaud au cœur et nous donne des ailes.

Mais voilà que déjà commence le deuxième tourbillon d'émotions. C'est avec un pincement au cœur que nous entendons la réceptionniste de l'Institut de réadaptation de Montréal nous demander : « C'est pour une hospitalisation? ».

La séparation est douloureuse, même si nous savons que j'ai congé chaque week-end. Le temps est long entre les séances de physiothérapie et d'ergothérapie. Il faut plusieurs semaines avant que je sois appareillée et je suis très impatiente de profiter de l'utilisation de mes prothèses. C'est finalement les prothèses d'entraînement pour mes jambes qui sont prêtes en premier. Bien que je suis rendue à Montréal pour recevoir les prothèses de mes bras, je n'en peux plus d'attendre. Je suis très heureuse de pouvoir enfin avancer dans le processus d'appareillage des membres inférieurs, même si cette étape devra être complétée à Trois-Rivières.

Je fais donc mes premiers pas avec ces petites prothèses tronquées et sans genoux. Fou! Trop merveilleuse la sensation de marcher à nouveau! Après plus de six mois en position couchée ou assise, je passe enfin en mode vertical. Avec l'aide d'une marchette au début, puis avec des béquilles, j'ai rapidement maîtrisé la marche du haut de mon mètre vingt, sans aide technique. Étonnamment, je ne suis pas trop courbaturée, mais plutôt comblée d'un sentiment d'accomplissement. J'aurais tellement aimé que mon amoureux puisse me voir faire mes premiers pas!

Je reçois finalement mes prothèses de mains après plusieurs semaines d'hospitalisation. Ces nouveaux outils ne ressemblent en rien à des mains humaines, car mes pinces myoélectriques ont un aspect plutôt robotique. Elles sont très pratiques et me permettent beaucoup plus d'autonomie. J'ai vraiment de la chance d'avoir de bonnes contractions musculaires aux moignons et de pouvoir contrôler aussi facilement le système myoélectrique.

Je peux maintenant prendre un crayon et écrire moi-même mon nom. Perdre ce privilège du jour au lendemain représente un peu la perte de son identité. Pouvoir signer moi-même mes documents me procure une réelle satisfaction.

Chaque vendredi, je retourne à la maison explorer les nouvelles avenues que me permettent mes prothèses. Je plie les vêtements, j'aide à la préparation des repas et je participe même au ménage. Ce qui me comble le plus de bonheur sont mes séances de dessin avec mes enfants. Ces doux moments m'ont beaucoup manqué. C'est avec émotion que je reprends contact avec ma passion de toujours, l'art.

Chaque semaine, je retourne à Montréal pour continuer ma réadaptation. Je m'ennuie beaucoup de ma famille, mais au moins, je me suis fait des amis parmi les autres patients. Nous sommes plusieurs *jeunes* ensemble, au sein d'une clientèle habituellement plus âgée, et même les plus vieux ont conservé leur cœur d'enfant. Notre groupe d'éclopés est joyeux. Les difficultés et les défis que nous affrontons ne nous empêchent pas de rire aux éclats et d'avoir du plaisir.

J'ai aussi une merveilleuse voisine de lit. Elle est anglophone, mais cette barrière linguistique n'arrête pas l'admiration que nous avons l'une envers l'autre. Cette jeune fille, souriante comme un rayon de soleil, n'a que 23 ans et elle a perdu une jambe à cause d'un cancer. Je me rappelle ma vingtaine. J'étais déjà en couple avec Alin et nous avions de nombreux projets dans différents secteurs d'activités. Ça me chagrine de voir que cette belle jeune femme doive composer avec une nouvelle vie d'unijambiste. Mais elle s'accroche et reste courageuse, entourée par sa chaleureuse famille.

Au moment d'écrire ce livre, j'ai appris une tragique nouvelle : ma nouvelle amie est décédée, emportée par ce maudit cancer. *Good night*, Alexandra, je me souviendrai toujours de ton beau sourire.

J'ai beaucoup de chance d'être en vie. Je ne supporte plus de perdre de précieux temps. Je quitte donc l'Institut de Montréal dès que j'obtiens mes emboîtures finales pour mes pinces. Rentrée à Trois-Rivières, nous célébrons mon retour définitif à la maison. Les enfants sont si heureux de retrouver leur maman. Il est prévu en effet que je termine ma réadaptation en clinique externe à l'Institut de Trois-Rivières.

Être présente pour les devoirs et leçons des garçons, déguster les délicieux repas de mon chef personnel et dormir dans notre lit, en somme tout ce dont nous prenons trop souvent pour acquis, constitue un bonheur inqualifiable à mes yeux. Nous avons même adopté deux chatons pour récompenser le courage de nos enfants. C'est la fête, nous sommes à nouveau réunis et pour toujours. Noël arrive à grand pas et le plus beau cadeau dont nous puissions rêver est d'être ensemble.

Je contacte donc l'Institut de réadaptation de ma ville pour commencer l'appareillage des jambes longues avec genoux. J'apprends avec stupéfaction qu'ils n'ont plus l'expertise pour une double-fémorale, quadruple amputée de surcroît. Leur prothésiste d'expérience a graduellement réduit ses heures depuis l'été, avant son départ définitif.

L'employée du centre, celle qui venait me voir chaque semaine à l'hôpital pour me préparer à la réadaptation à cet Institut, n'a pas pensé de nous aviser de cet important changement, pas plus que l'Institut de Montréal d'ailleurs. Depuis deux mois, elle savait que l'Institut de Trois-Rivières ne pourrait plus m'appareiller, mais l'histoire ne le dira jamais et nous ne saurons pas si c'est dû à une faute d'expérience, de temps ou de communication, mais au final, c'est trop de temps perdu.

Ce qui me fend le cœur, c'est que je devrai retourner me faire hospitaliser à Montréal. Un autre déchirement pour moi et ma famille.

Pour la première fois depuis le fameux *8 mars 2012*, je hurle de rage en raccrochant le téléphone. Toutes les larmes de mon corps ne suffisent pas à atténuer mon désarroi. Je ne peux pas croire que je devrai annoncer cette déchirante nouvelle à nos enfants.

Après la colère, la tristesse et l'amertume, nous décidons de tourner la page et de nous concentrer positivement sur ce dernier bout de chemin. C'est avec une approche plus positive que nous expliquons la situation à nos garçons résignés. Il est donc convenu, qu'après un long congé en famille pour la période des fêtes, que je retournerai à Montréal.

En attendant, je m'entraîne avec mes prothèses tronquées pour être prête au maximum et accélérer l'apprentissage de la marche avec deux genoux artificiels le plus vite possible. Ce n'est pas un mince défi et je me prépare, motivée plus que jamais. J'arrive même à marcher dans la neige grâce à un sentier bien dégagé par mon amoureux. Il n'y a pas meilleur exercice à mon sens que de profiter des bienfaits de la nature.

Les vacances de Noël sont terminées. Je repars vers la métropole et je m'attaque à cette dernière étape pour retrouver ma stature initiale. Ma jauge de détermination est gonflée à bloc. Au premier chaussage de mes nouvelles jambes, j'ai tout de suite adoré le *feeling* de marcher avec l'articulation du genou, de sorte que le bassin n'est plus le seul à compenser pour avancer. Ma démarche est déjà plus naturelle et je viens à peine de commencer!

Puis, alors que j'évolue à mon goût, nous apprenons une excellente nouvelle concernant mes futures mains. J'aurai bientôt accès à une prothèse haute technologie satisfaisant tous mes besoins fonctionnels et je retrouverai ainsi une motricité fine.

Je ne suis pas une personne superficielle, heureusement, mais j'ai très hâte d'avoir une apparence plus normale. J'aime aussi l'idée de pouvoir me présenter en tendant une main presque d'allure humaine.

Les déplacements entre Trois-Rivières et Montréal deviennent lourds pour Alin. Il assure déjà les repas, les lunchs, les devoirs des enfants, le ménage et les courses. En plus, il doit composer avec les rénovations majeures qui créent un désordre monumental dans la maison tellement chaque pièce est modifiée.

Mais les fins de semaine sont précieuses. Nous en profitons pour recharger nos batteries. Arrêt total de tous les projets, nous vivons simplement notre moment présent. Pas de rénovation, pas de réadaptation, rien à part le fait de s'occuper de nous.

Je finis par prendre mon courage à deux mains pour tenter de recommencer la peinture. Les travaux d'adaptation de la maison étant loin d'être terminés, Alin organise un espace dans la cuisine à cet effet. Je me lance, ne sachant pas si j'en serai satisfaite ou complètement anéantie.

La surprise a été tout aussi merveilleuse qu'inattendue. J'arrive à rendre un résultat qui me plaît, mais surtout, qui me parle. La sensation de retrouver ma passion de toujours m'émeut aux larmes. Je peux à nouveau m'exprimer et m'accomplir. Je suis convaincue que mon travail pourra reprendre, différemment certes, mais tout aussi épanouissant. J'ai l'impression de peindre l'œuvre la plus significative de ma vie. Je transpose mon premier dessin exécuté sans prothèses de l'été dernier en peinture. Il m'apparaît évident que cette toile s'intitulera *Renaissance*.

Il ne me reste qu'une dernière étape à parcourir à l'intérieur des murs de l'Institut et je compte bien la franchir à toute allure.

Je suis maintenant munie de toutes nouvelles jambes avec des genoux dotés d'un micro-processeur qui sécurise un peu plus chacun de mes pas. Je constate que, même grâce à cette nouvelle technologie, les prothèses ne marchent pas toutes seules pour autant. Ce sont mes muscles bien entraînés qui les font fonctionner. L'effort est énorme et marcher est un exploit d'endurance. Les dernières semaines ont servi à perfectionner la marche et aussi à prendre livraison de mes nouvelles mains. Quelle sensation merveilleuse que d'utiliser une telle prothèse technologique! Même si je ne peux sentir la texture des objets, la précision et les mouvements naturels des doigts me procurent un profond sentiment de réconfort.

Je me trouve très privilégiée de bénéficier de cette technologie. Je sens que le futur s'annonce prometteur. En attendant, j'arrive au bout de mon marathon et je termine ma réadaptation, un peu comme on termine un niveau scolaire.

L'accomplissement de tous ces défis récompense la somme de tous nos efforts.

Jamais je n'aurais pu réussir sans le soutien des gens qui m'aiment. C'est la fin d'une étape abracadabrante et le début d'une nouvelle vie dont je profiterai de chaque instant.

Tel un oiseau qui sort de son nid, je dois maintenant apprendre à voler, car dorénavant tous mes gestes quotidiens seront différents.

Même si je sais pertinemment que plusieurs activités me seront inaccessibles, je préfère néanmoins me concentrer sur ce qu'il me reste plutôt que de focaliser sur ce que je n'ai plus. En prenant cette avenue, j'évite ainsi de me diriger vers de mauvais choix lesquels, inévitablement, engendreraient un état d'esprit négatif.

Je continue donc de sourire et je suis surtout reconnaissante d'être simplement en vie.

⮞ TOURNÉS VERS L'AVENIR ⮜

Alin vient d'arriver. Pendant qu'il fait la navette entre la chambre et la voiture pour emporter tous mes bagages, je reste dans la chambre à faire le tour des tiroirs, question de ne rien laisser derrière.

Nous quittons ces lieux à la hâte, vers un retour à une vie normale. Finis les hospitalisations, la route, les nombreux kilomètres à parcourir et la vie séparée. Nous savons qu'il reste beaucoup de chemin à parcourir et d'obstacles à surmonter et c'est le coeur rempli d'espoir et de confiance que nous entreprenons cette partie de notre vie.

Mes deux plaies de pression à la tête persistent encore et une récente blessure au moignon gauche de mes jambes oblige un arrêt temporaire du port de mes prothèses. Leur utilisation demeure un défi d'apprentissage au quotidien.

Nombreux sont les objectifs qu'il me reste à atteindre. Je veux nager sans aide dans la piscine l'été prochain. Je veux marcher en forêt et au bord du fleuve. Je veux, un jour, monter une montagne où le dépassement de soi sera total.

Nous avons plusieurs projets stimulants qui cogitent depuis un bon moment. La réaction positive des gens quant à notre histoire rocambolesque nous apporte beaucoup. Nous avons envie de retourner la pareille en racontant notre *aventure* forte en émotion.

Si notre récit peut aider une personne à prendre conscience que ses capacités, ses passions et l'espoir en la vie peuvent la propulser à des sommets inespérés, il en aura valu la peine de partager notre état d'esprit et notre recette toute simple du bonheur. Il n'y a pas plus grand générateur de positivisme que ce que l'on puise au fond de soi-même et briller par sa propre confiance éclipse tout négatif de son entourage.

Ça fait déjà un an que la bactérie mangeuse de chair a bouleversé nos vies. Le printemps vient tout juste de se réveiller et le ciel est magnifique.

Nous quittons Montréal en prenant l'autoroute 40 vers Trois-Rivières, après avoir descendu les vitres de la voiture. En roulant paisiblement, notre station radio préférée diffuse une bonne vieille chanson rock. Je monte le volume en croisant le regard amoureux de mon homme.

La vie est belle et nous comptons bien en profiter.

Trois-Rivières, mars 2013.

REMERCIEMENTS

Il y a tellement de gens que nous voulons remercier qu'il nous serait impossible de tous vous nommer. Vous avez été si nombreux à nous aider, encourager, soutenir et nous vous en sommes infiniment reconnaissants!

Un immense merci à tous les membres du personnel du Centre Hospitalier Régional de Trois-Rivières. Sans vous, l'histoire aurait pu être bien différente. Merci à chacun de vous : du chirurgien qui a pratiqué les amputations jusqu'aux préposés et infirmières, sans oublier l'équipe médicale du Centre Christ-Roi de Nicolet, les ambulanciers et tous les médecins qui nous ont accompagnés étroitement durant notre parcours bouleversant. Merci aussi à l'Institut de Réadaptation Gingras-Lindsay de Montréal pour tout le volet de la réadaptation.

Nous remercions chaleureusement les membres de nos familles pour leur soutien inconditionnel. Merci pour votre écoute, vous avez été si attentifs à nos besoins durant cette période difficile. Nous tenons à remercier plus particulièrement nos deux merveilleux garçons, Ludovic et Louis-Matis, pour leur belle maturité durant cette épreuve et pour tout l'amour qu'ils nous apportent.

Un grand merci à nos précieux amis ainsi qu'à tous ceux et celles qui nous ont encouragés et qui ont contribué de près ou de loin à l'adaptation de notre domicile. Merci infiniment à chacun d'entre vous qui nous avez écrit et qui continuez de suivre nos *aventures*.

En terminant, nous aimerions souligner l'excellent travail de tous ceux et celles qui ont participé à ce livre.

Merci du fond du coeur,
Marie-Sol et Alin

POUR REJOINDRE LES AUTEURS :

sol@lesillusarts.com
www.lesillusarts.com

Collection **CROISSANCE PERSONNELLE :** _____
Vivre libre, sans peur! Le secret de Ben
(roman d'inspiration) *Mark Matteson*
Vivre libre, sans peur, pour toujours! Le cadeau
de mariage (roman d'inspiration) *Mark Matteson*
Le pouvoir des mots, *Yvonne Oswald*
Droit au but, *George Zalucki*
Réussir avec les autres, 6 principes gagnants, *Cavett Robert*
Les lois du succès, *Napoleon Hill (17 leçons en 4 tomes)*
De l'or en barre, *Napoleon Hill et Judith Williamson*
Doublez vos contacts, *Michael J. Durkin*
Prospectez avec posture et confiance, *Bob Burg*
L'art de la persuasion, *Bob Burg*
La communication, une vraie passion, *Stéphane Roy et Nora Nicole Pépin*
L'effet popcorn, tome 1 et 2, *Marie-Josée Arel et Julie Vincelette*
Devenir son propre patron et le rester, *Joseph Aoun*
Maîtriser sa petite voix intérieure, *Blair Singer*
Booster sa motivation, *Shawn Doyle*
Pour réussir, il faut y croire, *Fondation Napoleon Hill*
Né pour gagner, *Zig Ziglar*
Mine d'or de pensées positives, *Françoise Blanchard*
Le système infaillible du succès, *W. Clement Stone*
On ne change pas en restant les mêmes, *Renaud Hentschel*
Commencer par le POURQUOI, *Simon Sinek*
Journal d'un alpiniste, *Chuck Reaves*
Méga attitudes, *Billy Riggs*
Votre liberté financière grâce au marketing de réseau, *André Blanchard*
Golfeurs,à vos bâtons, 2e édition, *Luc Dupont-Hébert et Jean Pagé*

Collection **RELATION D'AIDE :** _____
Je suis une personne, pas une maladie! La maladie mentale,
l'espoir d'un mieux-être, *groupe d'intervenants*
Les agresseurs et leurs victimes, *Lise Lalonde*
Collection **EXPÉRIENCE DE VIE :** _____
Hop la vie!, *Johanne Fontaine*
Ce qui ne tue pas rend plus fort, *véroniKaH*
Briser le silence pour enfin sortir de l'ombre, *Josée Amesse*
Se choisir, un rendez-vous avec soi-même pour voyager léger, *Robert Savoie*
Collection **FANTASTIQUE :** _____
Cabonga, tomes 1-2-3, *Francesca Lo Dico*

Visitez souvent le site pour connaître nos nouveautés :
www.performance-edition.com

INFOLETTRE POUR OBTENIR DE L'INSPIRATION, TROUVER DES NOUVELLES IDÉES ET DÉVELOPPER VOTRE POTENTIEL

Recevez à votre adresse courriel,
un message de croissance personnelle.

Cette inspiration vous permettra :

- De prendre un moment de répit au cours de votre journée pour refaire le plein d'énergie ;
- De vous repositionner face à vos situations personnelles;
- De répondre à vos défis de façon positive;
- De discuter avec votre entourage d'un sujet à caractère évolutif;
- De prendre conscience de votre grande valeur;
- De faire des choix selon votre mission de vie;
- D'être tenace malgré les embûches;

et plus encore...

À chaque Infolettre que vous recevrez,
un livre de croissance personnelle sera mis en vedette
et une description en sera faite.

C'EST GRATUIT! C'EST POSITIF!

INSCRIVEZ-VOUS AU www.performance-edition.com